山本浩二

ミラノの森

羽鳥書店

ミラノの扉の奥には森がある。

通りに面した扉の高さは五メートルあって、それがミラノの街の標準である。大きな木の扉は開かれていることもあるが、殆どは閉じられていて、インタフォンを押し、解錠してもらわなければ中には入れない。潜り戸から一歩踏み込むと玄関通路は薄暗く、壁にはその建築が建てられた時代の装飾がほのかに浮かび上がる。そして、さらに先には鉄の扉があり、その奥は、そこが街中であるとは到底思えないほどの鬱蒼とした森である。

鉄の扉は型で鋳造されたものではなく、すべては鍛造である。鉄は八百度を越えると柔らかくなり、重いハンマーで叩いて曲げることができる。扉の曲線は一本一本の鉄を高熱で焼いて曲げた職人の技なのである。

ミラノでは、鉄扉のデザインは建物ごとにすべて違う。古典的な唐草、アールヌーヴォーとアールデコ、またモダンアートのような造形に変化し、見ていると、時代の流れの中を歩くように時は過ぎてゆく。

ミラノの扉の奥には深い森がある。

そのもうひとつの意味は人と歴史である。六千冊の美術書に埋もれた老舗の書店、近代史に残る画家たちの絵が静かに飾られているギャラリー、多くの名作を残して逝った映画監督の本家はミラノを治めた領主の屋敷であり、戦後のプロダクトデザインの中心であったギャラリーは、大聖堂のすぐ近くに存在していた。

冬のミラノにはよく霧が張る。ギシギシと音をたて、乳白色の霧の中から突然のように路面電車《トラム》が現れる。トラムに乗って散策すると、そこは二千年の歴史に塗り込められた街である。

目次

〔凡例〕

表記について

名前の敬称は一部を省略した。親しい知人と友人については、イタリアでは名前で呼ぶ習慣となっているので自然だが、尊敬する諸先生方についても姓のみで敬称を略した部分があるが、これは客観的な表現を志したためで他意はない。

文中にイタリア語またはそのエピソードとして登場する日本の友人の名前はカタカナで表記した（浩二＝コージ）が、参照としての日本語（名前）は漢字で書き表した。

本書では「S」の発音は「シ」「ジ」と書いている。イタリア語は基本的にはヘボン式で日本人にはなじみやすいが、ZとSの発音だけは明らかに異なっている。「PIZZA」は「ピザ」ではなく「ピッツァ」であり、「SICILIA」は「シチリア」ではなく「スィチリア」、「QUASIMODO」は「クワズィモド」である。しかし「スィ」「ズィ」としても正確には伝わらないので「シ」「ジ」と表記した。

サンタ・マリア・フルコリーナ通り
Via Santa Maria Fulcorina

ブルーノ・ダネーゼとジャクリーヌ・ヴォドツ

✳

中央郵便局の裏は、古い建物の密集する細い通りである。ヴォドツ・ダネーゼ財団はここにあった。

「コージ、展覧会をする時は、地方の名もない町でも、それがどれほど小さなギャラリーであっても、ベストを尽くしていい展覧会をしなさい。たった百人しか来ない客の中には本当の目を持った人がひとりいて、真実は彼の口から必ず伝わる。

しかしそれだけでは駄目なのです。いい記録を残しなさい。たとえ少ない頁でも、美しいカタログを作りなさい。それが歴史になるということなのだから。ヨーロッパでは歴史はそうして創られてきたのです」

ダネーゼさんの言葉は三十五歳の私の耳に重く響いた。以来私はいつもこの言葉を心にとめて生きてきたが、充分であったことはなく、精根尽き果てるまで絵を描き、カタログを多くのひとたちの助けで形にしてきたが、山を征服したような達成感を感じたことは一度もなかった。しかしヨーロッパでは「実現」することが常に問われる。

単に「ダネーゼ」と呼ばれている、戦後世界を牽引したプロダクト・スタジオのギャラリーは、一九八〇年代にはガレリアの東隣り、サン・フェデーレ広場の一角に存在していた。小さなショーウィンドーには、いつもプロダクトの何かがレイアウトされ、時には本体ではなくパッケージの箱が格好よく積み上げられて、私の目を楽しませてくれた。

　ガラスの扉を開けて狭い階段を降りると、そこには美しい異世界が広がっていた。ダネーゼの周囲には、ドゥオモ（大聖堂）、スカラ座（オペラ劇場）、ガレリア（アーケード）、オデオン（映画館）、ペッティナローリ（版画工房）という歴史的建築と店舗が密集していて、その中を通って辿り着いたばかりなのに、ため息の出るような美しい街からやって来たばかりだというのに、一歩足を踏み入れた瞬間、私は大きなショックを感じて立ちすくむ。それはまるでミラノの街の一歩先の歴史に存在する未来の姿のようであった。地下だとは思えない程の高い天井と、深く奥行きのあるギャラリー。しんとした空気の中、塵ひとつなく磨き上げられた透明のガラスの棚に、ブルーノ・ムナーリやエンツォ・マーリのプロダクトが整然と並べられていた。

　初めて訪れた日、空間の持つ雰囲気に圧倒された私は、受付の女性に名前と用件を告げたまま、ぼーっとして待っていた。そして、どれくらいの時間が経ったのだろう。「ボンジョールノ（こんにちは）」という声に振り返ると、そこに彼がいた。店舗というには美し過ぎるギャラリーの奥の階段から、秘書のアーダを引き連れて出て来たダネーゼさんの姿を、私は今も忘れない。

＊

＊ サンタ・マリア・フルコリーナ通り Via Santa Maria Fulcorina
● ヴォドツ・ダネーゼ財団 Fondazione Danese
チョヴァッソ通り Via Ciovasso ［025頁］
● ダネーゼ ［ギャラリー］ Danese

建築のファサード（正面）が柔らかな弧を描いて設計され、空間そのものが丸く包まれたコルドゥージオ広場から南に入っていくと、すぐ左手にイタリア銀行、右側に中央郵便局が続き、その向こうにはローマ銀行の高い壁が聳え立っている。銀行の北向きの壁のかなり高い位置にローマのシンボルである「雌狼と乳を吸う双子」のレリーフが彫刻されていて、青い空を背景に逆光の陰になって見える。

突き当たりを左に曲がった細い道の先にある老舗のリストランテ（レストラン）は、ミラノ名物の「コトレッタ・アッラ・ミラネーゼ（子牛のカツレツ）」や「オッソ・ブーコ（子牛の骨の髄の煮込み）」が美味しい店で、ダネーゼ財団の展覧会初日の打ち上げにはよくここが使われていた。あの狂牛病が騒がれた年、人々は病を怖れて牛肉を食べることを避けるようになり、多くのリストランテが店を閉めなければいけなくなったが、ここもまた例外ではなく、ある日カーテンを降ろして扉を固く閉ざし、店のファンである私たちは、随分寂しい思いをしたものだった。

「オッソ・ブーコ」には黄色いサフランの「リゾット・アッラ・ミラネーゼ（ミラノ風リゾット）」が一緒に供される。そのころ皆なぜか黄色いリゾットも食べなくなったが、それが「あの溶けるような子牛の髄と一緒でなければリゾット・ミラネーゼなんて……（食べたくない）」という思いであることを理解したのは、それから何年も経ってからのことだ。

結局イタリアで発生した感染牛はオーストラリア由来であったということが分かり、以後スーパーでは牛の原産国が明確に表示されて、買い物客はイタリアの国旗のついたものを選ぶようになった。事態が収束するのと並行して人々は再びオッソ・ブーコとリゾット・アッラ・ミラネーゼに舌つづみを打つようになり、多くのリストランテが復活すると同時にその店も営業を再開し、私たちを喜ばせた。

道は奥に続き、細い道路の脇のさらに細い舗道を、人々は譲りあいながら行き来する。骨董屋、仕立屋、靴屋、カフェ、そんな暗い通りに時折はっとするような可愛らしいブティックがあり、そこが生きた通りであることに気づかされる。「チンクェ・ヴィーエ（五つの通り）」と呼ばれている古い町でリストランテの前の路地を歩いていくと、トリノ通りに抜けられるのだ。知らない人にとって、街はいつも意外なところでつながっている。

＊

十六世紀に建てられたパラッツォ（邸宅）の入口はいつも閉ざされているので、管理人の女性に挨拶をし、財団の会員であることを告げて中に入れてもらう。中庭に残されている古井戸を見ながら階段を上る。十六世紀の建物は階段の一段が高くまた奥行きも広いので、大きな一歩でやっと次に行けるかどうか、時には二歩を使わなければ上れない。ローマの友人のアパートの階段はミラノより広くて、三歩でやっと一段を上ることができ、しかも天井高が五メートルもあった。決して巨人の住まいではないのだが、イタリアでは空間には空気の量が必要なのである。

階段を上がって直ぐのドアを開けると、ダネーゼさんと夫人のジャクリーヌ・ヴォドッさんが笑顔で迎えてくれる。いつも手早く書類の束を置き、奥のデスクの席に案内してくれた。二人は壁側に座り、その背後にはブルーノ・ムナーリの真っ赤な色の大きなタブロー《CAMPARI（カンパリ）》が掛かっていた。

夫妻は一九五七年にダネーゼ社を創設し、ブルーノ・ムナーリとエンツォ・マーリという当時まだ若かった二人の作家を両輪に、質の高いプロダクトを妥協せずに作り続けた。世界中に大きな影響を与え、数多の伝説を残して、一九九一年にプロダクツの製造と販売の権利をすべて譲渡し、プロトタイプ（原型）の所有権と（美術作品としての）プロダクツの出版著作権だけを手許に残して財団を立ち上げ、ルネサンス時代の建物の中に会員制のギャラリーを作った。

夫妻は名コンビで、いつも一緒だった。写真家であるジャクリーヌ夫人の方が背が高く歳も上で、そのことを申し訳なく思っているかのように背を丸くしていた彼女の姿が眼に浮かぶ。ダネーゼさんは短く刈った髪、鋭い眼光で、顎を引いて静かに語り、胸ポケットにはオレンジ色の定期券が差してあった。ダネーゼさんも路面電車《トラム》やバスや地下鉄を使うのだと驚いたものだが、彼のアパートからスカラ座までは路面電車《トラム》で五分、スカラ座からギャラリーへは歩いて三分の距離であった。

ふたりのアパートは公園のすぐ前にある。単に公園（ジャルディーニ・プッブリチ）と呼ばれていた緑地は周囲が二キロの広さで、中には「自然史博物館」「蝶博物館」があり、通りを隔てた南側には「近代美術館」が建っている。公園の北東角を出ればヴェネツィア門（ポルタ・ヴェネツィア）、北西角のカフェの向こうは共和国広場（レプッブリカ）に抜けられる。美術館はかつてミラノを統治していたスフォルツァ家の別宅で、整備された庭は市民に解放されて、若い母親と子どもたちの散歩コースとなっている。二〇一〇年に開館した大聖堂《ドゥオモ》広場の「一九〇〇年代美術館（ノヴェチェント）」に未来派やキュビスムの作品が移動して、ここは一八〇〇年代後半の美術が中心となったが、ロダンと同時代に活躍したメダルド・ロッソの彫刻や、セガンティーニの《いのちの天使／母の抱擁》は今でもここにある。

ダネーゼさんにとっては、後年開いたヴォドッツ・ダネーゼ財団のあるコルドゥージオ広場もスカラ座のふたつ先で降りれば良くて、公園前から乗る路面電車《トラム》が至便なのであった。これが一八八一年に開通したミラノの路面電車《トラム》の最初の路線であり、現存する最も古いタ

ガレリア・ヴィットリオ・エマヌエーレII世
Galleria Vittorio Emanuele II

US AND MINUS PLUS ET MOINS PLUS UND MINUS
DAL PROGETTO AL PRODOTTO
STEFANO CASCIANI
ARTE
INDUSTRIALE
DANESE
MILANO
ARCADIA EDIZIONI

イプの車体は今も「1」という番号で、木造の内装でギシギシ音を立てながら走っているが、開通した最初期には動力が馬であり、その後に蒸気機関車の時代もあったことは余り知られていない。（街の中を蒸気機関車が走っていた！）

トラムは一八九三年に電化された。

＊

財団のギャラリーは、壁や天井にルネサンスのフレスコ画が残る部屋が次々に現れる不思議な空間である。大理石モザイクの床に目を奪われて前に進むと、アーチ形の壁の向こうに真四角な部屋があり、天井は交差ヴォールトになっていて、そこにもフレスコ画が描かれている。全体が迷路のように入り組んでいて、細く曲がりくねった階段を下りると倉庫の跡のような展示室に出たりもする。回り廊下に囲まれた中庭は、地上階（日本の一階）の屋根が見えて殺風景だが、回廊の一部は小さなテラスになっていて、そこにだけ外からの空気が流れ込んでくるのだった。

ヴォドツ・ダネーゼ財団ギャラリーではその後も多くの展覧会が開かれ、こうして書いていると夢のように感じるが、展示台にはデザイン王国イタリアの作家たち、ブルーノ・ムナーリやエンツォ・マーリのオリジナルのプロトタイプが、手で触れられる距離に剝き

ペーパーナイフ No.780715
Danese

出しで置かれていた。

コンセントの映り込む金属の塵箱のような謎めいた画像は、すべて写真家であるジャクリーヌ夫人によるものだが、ダネーゼさんはその言葉の通りに「いい展覧会」を、「たとえ百人の来客」であっても真摯に対応し、「美しいカタログ」を他ならぬジャクリーヌ夫人の写真を使って作り続けたのであった。


二〇〇五年、ジャクリーヌ夫人は先に旅立ち、ダネーゼさんの心の痛手を思うあまり気遣って近づけなかった私と妻は、少し時間を置いてから彼を夕食に誘った。公園の前にあるアパートを出て、カヴール広場を斜めに横切ると、行き先は彼が食堂のようにしているリストランテである。静かに食事をしながら仕事の話をした。そしてジャクリーヌの思い出も。しかし言葉の端々に往年の矜持を感じることはできたものの、七十六歳とは思えないほど弱っている彼を見て、私たちは悄然とした気持ちになってしまった。私にとって彼の認識が彼であり、彼の哲学が彼である。ダネーゼさんとジャクリーヌ夫人の存在は余りにも大きく、彼らに替わる人は世界のどこにもいない。

二〇一六年の秋、十一年遅れてダネーゼさんはジャクリーヌ夫人の下に逝った。

＊

かつてサンフェデーレ広場にあったダネーゼ（ギャラリー）はわずか三メートルの狭い間口である。初めて訪れた日、ウィンドーにはエンツォ・マーリの《十六の動物》が、玩具とは思えない精巧さで、大きな象から小さな鳥に至る順に微妙なバランスをとって積み上げ飾ってあった。木の動物たちはパズルになっていてひとつの形にぴったりまとまるが、その組み合わせは箱に描かれたイラストを見れば分かるようになっている。

ダネーゼのプロダクツはすべての箱が異なるデザインで美しい。蓋を開けると一つひとつに通し番号が刻印された小さな紙が添えてあり、工業製品であっても消費されることのない唯一のプロダクトなのだという強いメッセージが伝わって来る。

ダネーゼさんが署名してプレゼントしてくれたエンツォ・マーリのペーパーナイフは、780715という通し番号と共に、今も私のデスクの上に置かれている。

チョヴァッソ通り

Via Ciovasso

指揮者カルロ・マリア・ジュリーニと
建築家フランチェスコ・ジュリーニ

ヴィア・チョヴァッツォはサンタ・マリア・デル・カルミネ教会の脇を入ったところにある小さな通りである〔地図14頁〕。指揮者ジュリーニはここに住んでいた。大きなスライド式の鉄製の門扉の奥に中庭の見えているアパートである。管理人のアントニオに挨拶をして門を入ると、柔らかく陽が射している中庭はちょっとした公園のようで、噴水には浸み出すように水があふれ、遊歩道があり、ベンチには決まってひとりの老婦人が座っていた。

カルロ・マリア・ジュリーニは一九五三年、三十九歳の若さでスカラ座の音楽監督に就任した指揮者である。時代は歌手のレナータ・テバルディとマリア・カラスが人気を二分するイタリア・オペラの全盛期で、一九五六年にジュリーニが振り、映画監督ルキーノ・ヴィスコンティの演出でカラスが歌った「トラヴィアータ（椿姫）」は、スカラ座のアーカイヴに保存され今も出版されている。

驚く程にゆっくり運ばれるジュリーニのオーケストラに、カラスの声が重なる。あるいはカラスの歌をジュリーニが追う。微かに音が下がるカラスの声とジュリーニの重たい指揮が寄り添っている。奇跡のようなこの出会いをどのように表現すればいいのだろう。

カラスの声はいつも少し音が下がる。カラスを嫌う人の多くは、この「音がぶら下がる」ことが許せない。マリア・カラスと名声を分けていたレナータ・テバルディ。彼女は不世出の歌手である。透明な声質、正確な音程、数え上げればきりがない賛辞。しかし音階や譜面に対する厳密さだけへのこだわりは、真実を見失う原因になる。それは、芸術は曖昧なものという意味ではないし、破綻が美しいという意味でもない。「芸術は曖昧なもの、破綻もまた美しい」という表現が「音階や譜面に対する厳密さ」との二項対立であるかのように語られることに、私は長いあいだ違和感を感じてきた。その言い方が、音楽に対して正確さだけを要求する人たちに、彼らに理解できない芸術の真実を批判する口実を与えてきた。

ダ・ヴィンチのデッサンにも描き始めの迷いや、線の微妙なびびりは残されている。細部を観察すればこのことはすぐに分かる。だからと言って、彼もまた人間だったのだという表現はあたらない。その物言いは「芸術は曖昧なもの」という表現と「形の正確さ」とをあたかも同じ地平で対立するふたつの真実であるかのように語ることと何ら違わない。ダ・ヴィンチが何本も線を引いて聖マリアの鼻梁を描いているとき、その絵を見る人が正しい形を選ぶ。すべての芸術は、それを鑑賞する人間の認識の中にしか存在しない。それは「絵は好きに見ていい」という話ではない。破綻に意味があるとすれば、それは破綻が傷ではないひとつ高い次元の意識で描かれているからである。

カラスの歌はぶら下がり震える。聴いている私はこんなに音がずれていいのかと思う。

だが刻々の音楽は私をしっかりと捉えて放さない。破綻が美しいのではない。あらかじめ破綻（に見えるもの）が組み込まれている必然性こそが重要だ。芸術は、音階や譜面に対する厳密さという価値観では決して測れない。

夕闇迫る頃、ブレラ地区の画材屋ペッレグリーニの角をカルミネ教会の方に曲がって歩いていくと、散歩途中のマエストロ・ジュリーニによく出会った。暗い石畳の道での転倒を恐れて付き添う息子のフランチェスコに声をかけても先生はただ静かに頷くだけだが、彼の長身の背中には（マエストロの身長は一九〇センチ近くあった）重い威厳が漂っており、私はそこに彼の音楽と同様の強い意志を感じたものだった。高い鷲鼻、彫りが深く頬のそげた顔。決して腕を通さず、いつもコートを肩にかけていた。長いマフラーと肩にかけただけのコート。マエストロは八十五歳を越えてなお凛としていた。私にとってその姿は、偉大な指揮者の重厚な音楽と決して切り離せない思い出である。

「私は恐れていた。演奏が始まる直前の舞台袖で、今日だけは勘弁してくれと何度思ったことだろう。でも結局はオーケストラを指揮し、音楽を造って来ることができた。しかしその反対に、自分には素晴しい音楽が出来ると思い、自信に満ちて舞台に立った日の演奏はいつも碌でもないものだった」

マエストロはよくこの話をしていた。

その言葉は、「隣在（臨在）」を身に引き寄せる心のあり方を語っている。「隣在」は人によっては「神」と呼ばれるが、「ひらめき」や「思いつき」のもっと遠くにあるもののことだ。それはある時ふいにやって来る。しかしどのようにしてやって来るのかは分からない。マエストロは、少なくともそれを自分の力で呼べると思ってはいけないと言っている。謙虚であればいいという単純な教訓でないことは、「だからと言って、恐れている日に必ず良い演奏ができた訳ではないけれどね」と話していることで分かる。この人にしてそうだったのか。

あの重厚でゆったりと大海に運ばれる音楽は、真摯に指揮台に立った巨匠の下にふと訪れたものだったのである。

会うまでは、その名前を聞いただけで畏れを抱いた大指揮者はまた、親友フランチェスコの年老いた父親でもあった。

一九九九年、ミラノ室内管弦楽団の指揮者パオロ・ヴァリエーリ先生が妻に写真家のデボラを紹介してくれた。イタリアで妻のCDが出版されることになり、ジャケット写真を撮影する必要があった。デボラはファッション雑誌『VOGUE』などで働いていたが、生活のための仕事の傍ら人物写真も撮っていて、深い人間洞察のある作品が魅力的な素晴らしい写真家である。残されている大指揮者ジュリーニの晩年の写真は、そのすべてがデボラの撮影したものである。

そうしてデボラと知り合い、その後夫のフランチェスコに紹介された。

カルロ・マリア・ジュリーニの息子フランチェスコ・ジュリーニは建築家である。ミラノ工科大学（ミラノ・ポリテクニコ）の建築科を出た後、偉大な父親からの精神的自立を考えたのか、カナダに十年住み、その間に出会ったデボラと結婚した。一九八四年、母親が倒れると、病床の母を支えるためにミラノに戻った。父、ジュリーニもまた妻を看るためにヨーロッパ以外のすべての仕事を断る決意をし、この時からの生涯をミラノで過ごしている。

フランチェスコとは会うなり意気投合した。私たちふたりは共に、芸術に対して畏れにも似た感情を持って青年時代を過ごしていた。彼は幼い頃からカルロ・マリア・ジュリーニの傍にいて、そして私は十代の初めに油彩を描き始めて以来、自分が歴史の壁の前の小さな存在であるという思いを拭えずに生きていた。私たちは、怯える気持ちを勇気に変えたいと抗っているところが似ているのかも知れない。フランチェスコがかつてバスケットボールU18のイタリア代表であり、私が社会人チームで二十年に亘ってバスケットボールを続けてきたことも友情の一部となった。

フランチェスコとミラノの街を歩きながらよく建築の話をした。ある日、中央駅（チェントラーレ）の前を通りかかると、突然嫌悪感に満ちた顔でこの建築デザインが嫌いだと彼は言う。

「ムッソリーニが建てさせたから？」

「それもあるけど、それだけじゃないさ、コージ」

ミラノ中央駅は一九〇六年に建設が始まり、幾度かの中断を経て一九三一年に完成した。時は「スペイン市民戦争」の前夜であり、ドイツではヒットラーのナチスが、イタリアではムッソリーニのファシスト党が台頭していた。鉄骨で組み上げられた大アーチのプラットフォームの屋根と、高さが五十メートルを越す駅舎は、フランク・ロイド・ライトが「世界一美しい鉄道駅」と表現した大理石建築である。しかし、そのファサード（建物の正面）はバロック、新古典主義、構成主義、アールデコの折衷であり、設計者の意識に創造の矜持を感じることはできない。絵も建築も芸術が歴史の影響を免れないのは、私たちがそれぞれの背に圧縮された歴史を負っているからだが、何かを「生み出す」にはそれらと戦う苦悩が必要だ。模倣と影響は違う。何かを生み出すには、魂を開いて歴史の影響を受けなければいけない。現在と個人というフィルターを通して人類の知見の一齣が表現される。歴史に通底して変化しないものと、時代によって変わりゆくもの。

ミラノ中央駅の外観のデザインは民衆に権威を感じさせるための寄せ集めになってしまった。駅の正面から幅の広い道路が共和国《レプッブリカ》広場までまっすぐに延びる。そこには権力に対するおもねりが染みついて離れない。しかし思う。権力に仕える様式は、それ自体は歴史的な柱や装飾による威厳性の演出に過ぎない。そこにまとわりつくある種の胡散臭さは、奉仕する対象が政治であり人間の権力や名誉への欲望であるせいなのだが、では時が経ち人々の歴史の記憶が薄れた後にも、胡散臭さは消えずに残るのだろうか。果たして私たちは建築を建築にまつわる記憶だけで見ているのか。

「私たちは、その存在において、いつも既に遅れている」（内田樹『レヴィナスと愛の現象学』）というエマヌエル・レヴィナスの言葉は、西洋における神に対する人間の精神のあり方を表現している。どのような建築も、絵画も、音楽も、誕生の以前に先史を背負っていると気づいた時、すべて芸術を目指す者は、自分と歴史の創造の始原を考え始める。

しかし伊勢神宮では様式の始原が明かされない。「私たちは最初からここにいて、式年遷宮は始原より継続されてきた」という。私たちはその建築を記憶で見ることが出来ない。何故なら、その様式は変遷しないから。造形は生まれ出る苦悩を味わうことなく、その意味で宮大工たちは先史を背負うことはない。

日本において神は気配である。二〇一〇年、能舞台の鏡板に「老松」を描くことになり、松と能舞台を見るために日本を歩いた。なぜ松が生と死の象徴として扱われてきたのか、出雲大社に赴き、樹齢数百年の松に触れて思った。樹がその樹皮の内側から一年毎に年輪を形成するのなら、そこは常に一歳。老いて所々が剝落しているこの樹皮と隣り合った内側には常に新たな生命が誕生し、まだ柔らかな状態で存在していると。しかし千年の樹の表皮は千歳である。長く生きた樹には生まれ来るものと死に逝くものが同居している。

松の樹皮は成長の過程で縦縞模様になっていくが、時間の経過とともに縦縞は次第に短くなり、角が落ちていく（と教わった）。それが亀甲に見えることがまず長寿の象徴となった。だが曲がった枝を曲がった腰になぞらえるといった分かり易い説明ではない何かが確かに存在していた。デッサンを取りながら数十メートルの大樹を見上げたら、風が吹いて枝が揺れた。どのように年老いた樹も、その先端は新芽である。新芽が風に吹かれて揺れる。その時私は何かの気配を感じた。

「……しかしながら、神様のお姿を拝見することは恐れ多いことであります。青々とした常緑の松葉が神域を吹き渡るそよ風により、かすかな葉音を鳴らし、神様の訪れの気配を私たちに感じさせ、神様のご加護を感じ幸せに包まれます。その様な機会の訪れをいにしえより人々は待ち望み、松に対してご光臨の気配を〝待つ〟神聖なる芽出度い木としてきました。……」（「影向松」花山院弘匡・春日大社宮司）

春日大社宮司である花山院氏の言葉は明快である。彼は「神様の訪れの気配」とはっきり言っている。日本における神は気配なのである。

では顕現とは何なのか。神道において徳川家康は顕現と言われる。顕現とは神が人間の形をして現れたものの意味だ。家康は祀られて神となった。神道において神を「気配」といい、また「顕現」という。そのふたつの異なった現れには明らかに誰かが一線を引いた跡があって作為が臭う。日本の神は「訪れる気配」の中にいて実体を伴わない存在であるのが本来であった。時に一個の石塊がご神体であってもそこには深い意味がある。それは、神は石塊に宿っているのか、それとも石塊に「気配」を感知する人間の認識の中に存在するのかという問題である。

「……それも、庶物崇拝（フェティシズム）の高い段階としての偶像崇拝全般にわたってではない……」（和辻哲郎「偶像崇拝の心理」）というような表現が未だに支配的であるために、そこから説き始めた和辻哲郎の論理は曖昧な芸術至上主義に落ち着き、ついに彼は認識の問題について明らかにすることが出来なかった。彼が庶物崇拝の上位に偶像崇拝があると言っているのではないが、それが現前していることを自明としたことが、その対称としての芸術を上位に置くことを結論とする根拠となった。問題は、芸術が上位であると言えば済むようなことではない。

二〇〇四年、私はすがるものも見つからないまま雑草を描き始めた。名もない路傍の草である。無心に描くうち、死にゆく枯れ草の造形の中には生命の力が残されていることに気づいた。さらに天眼鏡で新芽を見ていて思った。硬い殻を破る時、生命は必ず身をよじるようにして生まれると。

朝起きて庭に出る。白い紙と一本の鉛筆。中庭に生えている背の高い木の枝が風に吹かれてかすかに揺れる。その時私は何かの気配を感じた。その状況は、春日大社神官の花山院氏が文章の中で書いているものとよく似てはいるが、私の感じた気配は「神」ではない。ではそれは何なのか。

「フランチェスコ、君が一番好きなミラノはどこなの?」

「ガレリアだね」

「建築として？」

「うん、設計も素晴らしいけど……そこにあるアトモスフェーラ（アトモスフェア）が好きなんだ」

「それは設計者が作ったもの？」

「違うね、コージ。このガレリアの空気ができるまでには時間が必要だったし、音楽や美術や人々の多くの営みがあったからね」

「では訊くけどフランチェスコ、君の言うアトモスフェーラは、君の認識の中にあるの？それとも外に？」

「感じるのは人それぞれだけど、個人はいつかいなくなる。それでもガレリアにアトモスフェーラは残される。アトモスフェーラはガレリアの記憶の中にあり、その場所に染みついているのであって、僕の中ではない」


そうだったのか。アトリエの中庭で風に揺れる木の枝に私が感じた気配は、何かの存在が風に揺れる木の枝に宿っているのか、それともそれを感知する私の認識に存在するのかという問いかけではなく、その意味では明らかに日本の「神」ではなかったが、しかしまたガレリアに染みついたヨーロッパの「アトモスフェーラ」と同じものでもなかった。

私は「風」という実態のない存在に「アトモスフェーラ」を感知する認識を、カンバスの上に定着させることを望んだのだ。カンバスに残された実在、それが私にとってのすべての証明である。

この文章を書いている今が、このことを言葉にした最初の時である。

私は《Another Nature（もうひとつの自然）》の誕生前夜、まだそのことの意味を理解していない意識の闇の中で、手探りで絵を描いていた。保管庫に残された大量の小さなドローイング。そして新聞の連載の仕事をきっかけにして《樽《たる》と煉瓦《れんが》》を描き始め、やがてそれは《Another Nature》を生み出す下地となっていった。

フランチェスコ・ジュリーニが、彼の持っているギャラリーで個展を開いてくれたのは二〇〇〇年の秋のことだ。この年はスイスのグレンヒェン国際版画トリエンナーレに招待されて出品していたので、ミラノの個展にはチューリッヒ近郊の町からも多数の来客があった。スイスでは、トリエンナーレで一緒だったエドゥアルド・チリーダがアルツハイマーを発症したと聞いて大きな衝撃を受けたことを思い出す。彫刻家のように手と目と頭を同時に使う職業ではアルツハイマーは発症しないと思い込んでいたのだ。一九二四年に生れたチリーダはその時七十六歳であった。

チリーダの彫刻、それは「彫刻を見る人（認識）」「彫刻（＝作家）と自然の対峙」「発生する磁場と宇宙の関係」の三つがすべて同時に俯瞰される構造そのものなのである。そのことはサン・セバスティアンの海岸に設置された《風の櫛》でもすでに明らかであったが、彼は、これまで誰も夢見ることのなかった新しい世界を現実のものとした。

マッス（量塊）としての彫刻はどこにもない。モンターニャ・ティンダージャ（Montaña Tindaya）は、山の中にくり抜かれた、光の差し込む四角い穴である。彼は山の内部を彫り抜き、マッスとは正反対の空っぽの彫刻を作った。しかしそれを非存在の概念として理解すると、チリーダの思いからは遠ざかる。

チリーダは、「鑑賞者の認識」「彫刻と自然の対峙」「彫刻が作り出した磁場と宇宙の関係」の三つを同時に表現する可能性に、塊《マッス》のない彫刻で挑戦したのだ。日本の「空《くう》」ではなく、西洋の「塊」でもない。しかし彼にとってそれは明らかに彫刻であった。重い岩盤に包まれ、その重量を感じる中に立って人はそれを見る。平面の上の「地と図」の「地」のように、「図」の反転として見えた瞬間に存在を感じるというものではない。この彫刻は立体であり、人の身長の数十倍の高さで私たちに対峙を迫る。その中にいるのに、私たちは彫刻を対象として見ていることに気づく。その時、認識は見ている人間の中にあると同時に、その場を離れてひとつ高い次元に溶解する。この体験は一体何か。古代ピラミッドの石室は石に囲まれた空洞である。しかしチリーダの掘り抜いたこの空間は量塊としての彫刻なのだ。「マッス（量塊）は空洞の中にも存在することをやがて人は知るだろう」と彼は言いたかったのではないのだろうか。モンターニャ・ティンダージャはこの彫刻家の残した壮大なメッセージなのである。

師トスカニーニと若き日のマエストロ・ジュリーニが談笑している写真のアルバムをフランチェスコと一緒に見ている時、ＢＢＣ録音のＣＤが積んであるので手に入るのか彼に尋ねた。レコード店では見られない貴重なＢＢＣ盤ジュリーニである。

「あげるよ、コージ」「それはだめだよ、フランチェスコ」「では5チェンテージミ（5セント＝6円）もらおうかな」。そんな会話が交わされて、イタリアの習慣をこの日に知った。あげるのではないよという意味で少額の現金を受け取る。ＣＤは私のアトリエにやって来た。そうして何度も何度もくり返し聴いたＢＢＣ盤のジュリーニが、私の中に彼の音楽を育て、彼の芸術を深く理解する礎となった。

トスカニーニの音楽は大地を吹き渡る風である。指揮棒を振る動きはとても速く見えるが、スカラ座時代のムーティのような性急な感じはしない。残された記録を見るとき彼の手の動きの余りの速さに驚くが、そのことにとらわれず眼を閉じれば、構成が完璧に仕組まれていると分かる。トスカニーニは私の音楽体験の出発点である。彼の哲学はクラシック音楽の典型であり、原点であり、純粋で何の夾雑物も混じらない。それに対して、ジュリーニの音楽は大きくうねる海である。聴いていると、私の心はいつも遠くに運ばれる。このふたりの巨匠に通底しているものが確かにある。彼らはスコア（譜面）にこそ答があると言う。指揮者のパオロも同じことを言う。それは一体どういう意味なのか。絶対的な古典の束縛に従うという意味ではないとしても、では逆に後世の人間が残されたスコアの中に自分をどのように表現すれば良いのか。長いあいだ文章化できなかったこのことを、大学の講義の中でキュビスムを通して考えた。それは遡行と派生という問題である。

「ロンシャンの丘の礼拝堂」に組み込まれたキュビスムの窓は、ピカソを敬愛するコルビュジェが、一九〇九年に制作されたピカソのキュビスム絵画を立体に置き換えたものである。コルビュジェは礼拝堂の壁に内と外で異なった大きさと形を変化させた矩形を切り取ることによって透視図法を裏切り、空間にゆがみと力を与えた。そこに立つと分かるが、それは最早錯視とは言えず、礼拝堂の空間は大きく変容している。ではそこから、一度一九〇九年ピカソの「丘の上の家」に戻ってみよう。更にその絵から派生した学生作品とその学生がモティーフにした十六世紀から残る現在のフィレンッツェの風景写真の四枚の画像を並べて見る。

キュビスムを立体に置き換えたロンシャン礼拝堂の窓（一九五七年）

ピカソのキュビスム絵画「丘の上の家」（一九〇九年）

学生に依るキュビスムで描かれたフィレンツェ風景（二〇一六年）

学生作品のモチーフになった十六世紀フィレンツェの風景（写真）（一五〇〇年代）

その四枚を繰り返し見るうちに、私たちはフィルムの巻き戻しのような感覚からあることに気づく。時間は遡行できるのみならず、現在の私たちの側から新たな思想を明らかにすることが出来ると。それは各々が歴史を自分の解釈で見て良いという話ではなく、歴史を経て獲得された知と美意識は「全体知」を変化させ、やがて私たちそのものになるからなのである。

そうして私たちは再び一九〇九年に戻り、時間の経過がもたらした結果である現在の自分（派生）と過ぎ去った時代意識との往還（遡行）の中で、認識の本当の意味を考え始める。

（早稲田大学建築学科演習Eに於ける著者の講義／二〇一六年度版イヤーブック掲載）

遠い記憶が蘇るような仕方で、私たちは自分の必然を知る。本当に先に記憶が存在していたのか、その仕方で蘇るようにやって来たために、遠い日に忘れられた心のかけらが現在の思いと結びついたのかは最早分からない。人の認識と芸術は経時的には作られず、過去と現在の隘路を双方向に往来する。「私たちの側から新たな思想を明らかにする」という一見不合理な表現はそのことである。

できればこのことをジュリーニ先生に話してみたかった。果たしてマエストロはいつものまっすぐな物言いで「エザット（その通り）」と言ってくれただろうか。

二〇〇五年六月、豊かな音楽の記憶を私たちの心に残してマエストロ・ジュリーニは逝った。

冷たい空気が冬の訪れを告げ始めた十一月、別れの会が催されたヴェルディ・オーケストラホールには多くの音楽家と友人たちが集まった。登壇する人々はそれぞれにマエストロとの思い出を語るが、その中に情緒的な話は何もない。権威づけるために業績を紹介したりはしない。全ての人が、彼の音楽、彼の作り上げた芸術、彼の理念について言葉を尽くし、それが自分に課された義務であるかのように話し続ける。イタリアでは、旅立った芸術家を送る日は皆このように振る舞うのが習わしである。私たちは悲しみを語るのではなく、心と記憶に刻まれた芸術家の実存を明らかにしなければいけないのだ。言葉を建築のように構築して彼の残した音楽を歴史に伝えていくことが、残された者に課せられた使命である。

マエストロの肉体の不在が私を打つ。彼の実存を今でもはっきりと感じることができるけれど、目の前にいない現実がたまらなく悲しい。舞台袖に行きフランチェスコを抱きしめた。彼の目に溢れる涙はいつまでも乾かず、かけるべき言葉が見つかならないままに私たちは静かに劇場を出ていった。

← ジュリーニ邸
Casa di Giulini
［次頁］ペッティナローリ文具店・版画工房
Pettinaroli

CASA FONDATA NEL 1881
CARTOLERIA
STABILIMENTO CARTOTECNICO GRAFICO

ヴェネツィア門

Porta Venezia

ギャラリスト・マッテオ・ロレンツェッリ（1）

「『自分を知りたければ世界の果てまで旅をしなさい。そして世界を知りたかったら、自分の内側を見つめなさい』。これは私の大好きな言葉ですが、これを答としてよろしいでしょうか」

大隈講堂での映写会の後、私の質問に対してミヤヤマは舞台の上からこう答えた。ミヤヤマ・マリエ（宮山麻里枝）は早稲田大学を出てからドイツに渡り、「ミュンヘンテレビ映画大学（Hochschule für Film und Fernsehen）」で学んだ映画監督である。

映画「赤い点（Der Rote Punkt）」は、遠い記憶の中にしかいない両親と弟の死の真実を確かめるために、ひとりの女子学生がドイツに渡る物語である。亡くなった親に代って自分を育て愛してくれる叔母夫婦、しかし彼女は何かにつき動かされて長く封印されていた箱を開ける。入っていた地図には「赤い点」が記してあり、その場所が両親と弟が亡くなった場所であると知る。「私はここを訪ねなければいけない」。場面は展開し、ちいさな町の派出所で、宿を探す彼女は、バイクを飛ばしていたために警察官に戒められているひとりの青年と知り合う。深い緑に覆われたドイツの田舎町である。遠く日本からやって来た旅人を迎えてくれる青年の家族。しかし彼女が訪ねてきた理由を話し合ううちに、家族の父親は次第に不機嫌になってゆく。

弟のような青年との友情が育まれ、彼女はついに「赤い点」の場所に出会う。森の脇の細い道、おおきな曲がり角の草の中に埋もれて、ちいさな碑があった。四角い石の表面に刻まれた父と母と幼い弟の名前。「なぜここで亡くなったの。どうして私だけが生きているの」。問いかけても誰も答えてはくれない。くりかえしくりかえしフラッシュバックするシーンでは明るい光が陽炎のように射し、車の窓ガラスに森が映る。幼い弟、優しい母の声。彼女の夢の中でその映像はいつも唐突に終る。

彼女は石碑の前に用意した食事を並べて家族との邂逅を喜び、泣きながら眠りに落ちる。心配して様子を見にきた青年はしばらく隣で横になりながら、そっと毛布をかけて去っていく。

「どうか許してほしい。あの日は一寸先も見えない程の大雨だった。妻が出産に備えて入院している病院から急いで来るように電話があったんだ。車を出し、土砂降りの雨の中、大きな曲がり角を曲がろうとしたその時に、君とご家族の乗っている車とぶつかってしまった……その出産でこの息子が生まれた。おお、私は何ということを。本当にどうしようもなかったんだ。どうか私を許してほしい」

運命の糸はすべて繫がり、彼女は日本に帰国する。卒業後の人生をしっかり歩いていくことを予感させる所で映画は幕を閉じる。

女子学生を眠りから覚ます携帯の音、学生生活と就職活動から一転して過去に時間軸が移り、彼女は旅立つ。異国と出会い、青年やその家族と出会い、明らかにされなかった自分の過去と出会う。亡くなった家族との邂逅。田舎町で世話になっている家族の父親は、十八年前に事故を起こしたその人であった。

人々の背景が交錯し、多くの思いにとらわれる作品である。

「私ごとですが、尊敬する人生の師が亡くなり、本人の希望によって船で相模湾に出て散骨をしました。私は話しかけ、思い出を分かち合うための場所に行きたいのですが、その方には墓がありません。やむなく毎年私は船が相模湾に出港した横浜桟橋に行き、山下公園の鉄柵越しに彼の愛したスコッチウィスキーを海に流して祈ります。祈りとその場所についてどのように考えておられるか、聞かせてください」

そんな私の質問に監督は答えてくれた。

「すこし違っているかもしれませんが、私の好きな言葉に次のようなものがあります。自分を知りたければ世界の果てまで旅をしなさい。そして世界を知りたかったら、自分の内側を見つめなさい。このような答でよろしいでしょうか」

映画が表徴するものと二十一歳の主人公が訪ねた「赤い点」、そして私の問いかけた「祈りの場所」を結ぶミヤヤマ監督の答だった。

「それで結構です」と私は言った。直截的でないミヤヤマ監督の表現にその意味するところを深く考えこんだ私の心の中に、色々な思いが交錯し流れていった。

二十二歳の時にシベリアを横断してヨーロッパに入った私は、マドリードに住んで古典絵画を学んだ。プラド美術館に通い、日々デッサンを描いた三年間。休暇の時間には、なぜ見知らぬ土地を旅するのかを考えることもなく、そしてその理由を自分に問うこともなく、アジアを、アフリカを、ヨーロッパを歩き続けた。

国際展に応募し、時に入選するだけのちいさな喜び。個展を開き、友人と知人の訪れだけを待つ長い時間。それでもこつこつと発表を続けた三十代の終りに大きな行き詰まりを感じ、意を決してニューヨークに渡った。作品の資料を鞄に入れ、紹介は何もない。どんなギャラリーがあるのかも知らない。英語も碌に話せない。世界は遠くにあって、歴史がいつ、どこで、どのように刻まれてゆくのか、見当もつかなかった。

友人に迷惑をかけ、その助けを借りて、見知らぬ街ニューヨークで百二十軒のギャラリーを回った。その経験が何になるのかよく分からないままに多くの人に出会い続けた。

遠い未来に人生の師を送ることになるとも知らず、二十二歳の私はその横浜大桟橋から船に乗り、シベリアを経てヨーロッパの地を踏んだのだった。ニューヨークを訪れたのはそれから十七年後のことだったが、しかし、旅はまだ始まったばかりだった。

❀

「何度か展覧会に来ておられましたね」

コレクター、スカルトリーニ医師の紹介で初めて訪ねた日、ギャラリー・ロレンツェッリ・アルテのオーナー、マッテオ・ロレンツェッリ氏にそう言われた。さりげない態度でありながら、絵を見ている来客の外観も中身もしっかり捉え記憶している。ギャラリストとはそのようなものかも知れない。

重い扉を押して中に入ると、天井までの全面をガラスで覆ったレセプション室の中で秘書が仕事をしている。背後の壁に備え付けられた書架は画集で埋められ、最上段にはエドゥアルド・チリーダやアヅマ・ケンジロウ（吾妻兼治郎）の彫刻が並んでいる。ここはバウハウスで教えていたマックス・ビルの契約ギャラリーであり、セルジュ・ポリアコフを、ロンドンのアグネス・ジュダが企画する十年以上前に、マッテオの父ブルーノ・ロレンツェッリが見出したギャラリーなのだということを後日知った。

パリ大学で美学を学んだマッテオ・ロレンツェッリはやがてこの老舗ギャラリーを継ぎ、

父ブルーノの足跡を守りながら、次の路線に舵を切る年齢にさしかかっていた。会った頃には分からなかったが、ちょうどその時に私は彼と出会った。

ギャラリー・ロレンツェッリ・アルテはヴェネツィア門のすぐ前にある。と言っても城塞都市であった頃の門は撤去され、元来門柱であった二つの建物に挟まれて大きな道路が通っているというのが現在の姿である。

ミラノは他の城塞都市と同様に高い壁に囲まれていた。ミラノもマドリードもパリも、城塞で囲まれていたかつての都は、他の都市に向かう位置に門を作った。パリではその名残りが駅名となり、リヨンに向かう位置にはリヨン駅が、北に向かう所には北駅がある。（フランスで「北」とはフランドルから更に北欧のこと。ムンク他、ノルウェー、スウェーデンの画家の展覧会を「北の星たち」と名付けている。）マドリードのラストロ（蚤の市）横のトレド門は坂の途中にあって、マドリードの高地を降って古都トレドに向かう出発点となっている。そして、ここヴェネツィア門はミラノの街の北東に位置していて、街道はまず中間点のヴェローナに向かい、さらに東に百二十キロ進むとアドリア海の干潟に浮かぶ水上都市ヴェネツィアに到達する。

❀

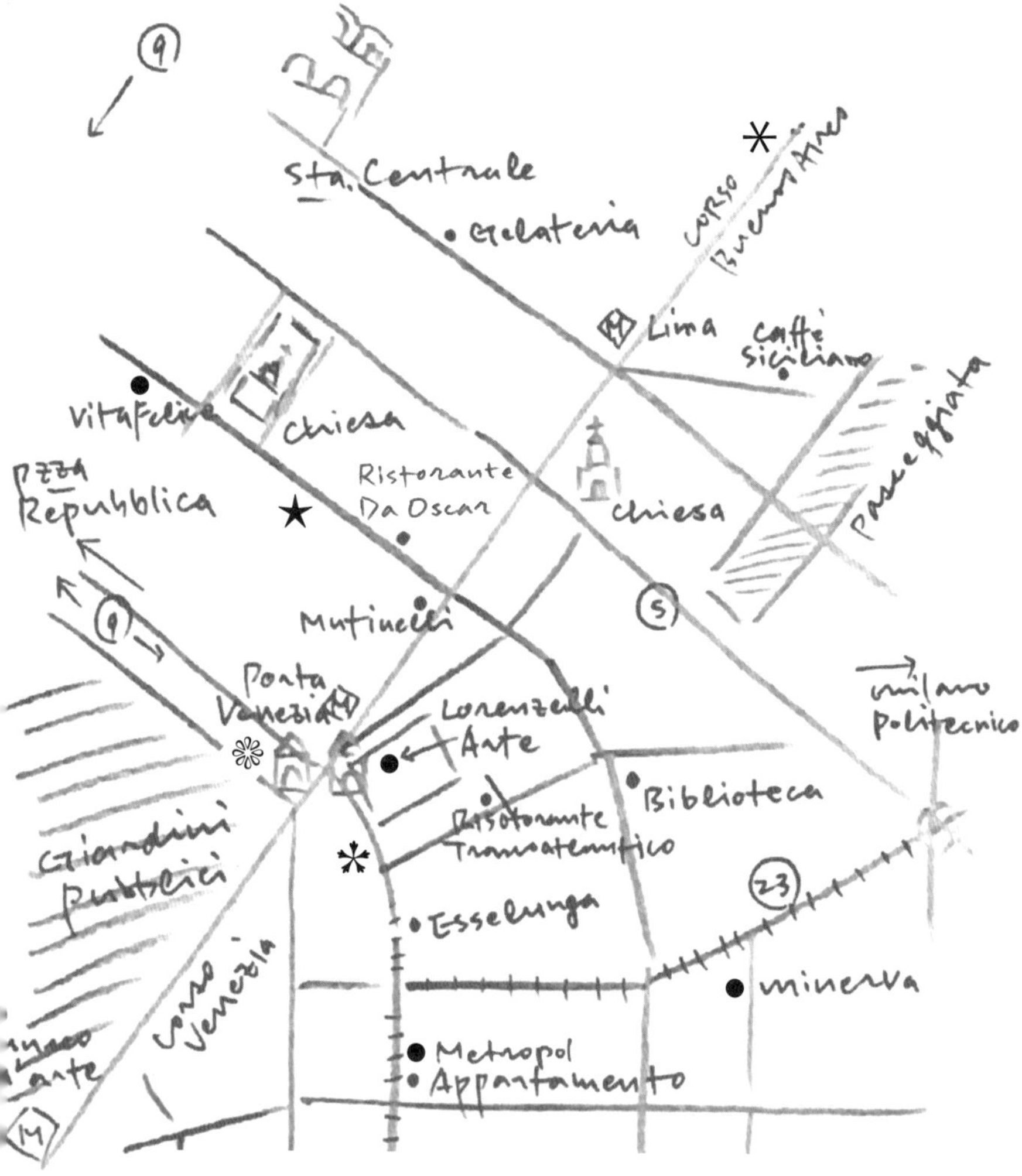

❀ ヴェネツィア門 Porta Venezia
● ロレンツェッリ・アルテ Lorenzelli Arte
● ミネルヴァのちいさな梟 Minerva［185頁］
✳ ブエノス・アイレス大通り Corso Buenos Aires［185頁］
★ ラッザーロ・パラッツィ通り Via Lazzaro Palazzi［141頁］
● 出版社ヴィータ・フェリーチェ Vita Felice［141頁］

ヴェネツィア門はかつてはオリエント門と呼ばれていた。ヴェネツィアはミラノからは遥かに遠いヴィザンティン（東ローマ帝国の芸術・文明全般を指す）に向かっての開かれた窓であり、東ローマ帝国の首都コンスタンティノポリス（現在のトルコ・イスタンブール）との交易の中心であった。

ヴィザンティンは政体としてはローマ帝国であり、市民には臣民意識もあったようだが、地勢的にはバルカン半島が中心であり、西のイタリア半島から見るとかなり遠くに感じる土地である。ヴェネツィアの前庭のようなアドリア海を越えてさらに対岸にあるバルカン半島は、ローマ帝国に組み込まれる以前の紀元前三〇〇年代には、半島の出身である古代マケドニアのアレクサンドロス大王（Ⅲ世／BC三五六―三二三）に統治されていた。アレクサンドロス大王はエジプト制圧後には自らその地でファラオ（王）となり、ナイル川河口の西側に都市アレクサンドリアを建築する。

古代アレクサンドリアでは多数の言語が使われ、街にはユークリッドやアリストテレスがいた（アリストテレスは、アレクサンドロス大王の家庭教師だった）。多国籍で多くの学者が居住し、東西の交易が盛んに行われて商人が行き来する、そこは地中海文明の中心だった。

大王の死後、この街に作られた図書館「ムセイオン」には、一説によると七十万冊の蔵書が存在し、当時世界最大の図書館だったが、すべての書籍はパピルスか羊皮紙であったのか、まだ機械による造本技術も印刷技術もない、写字室でひたすら写本が作られていた時代である。

紀元前四七年、ナイルの戦いでユリウス・カエサル（シーザー）がアレクサンドリア港に船で突っ込み、史実ではそれが恣意であるか偶然であるかは明らかにされていないが、世界最大の図書館ムセイオンは全焼した。これは文化の移動を引き起こした歴史上の大事件である。この事件を境に地中海文明の中心は西のローマと東のアラブ世界に移っていく。その後ムセイオンは再建されるが、紀元三〇〇年代からは、継続するキリスト教徒の侵攻によって学者は排除され、図書館はすべて破壊される。そうして古代文明の中心は確実に地中海／オリエントを離れていった。

イタリア人にとってのオリエント（東洋）とは、ヴェネツィアを窓口とする東方を意味していて、ヴェネツィアの前庭、アドリア海とその彼方に突き出るバルカン半島、北アフリカに位置する古代アレクサンドリア、さらにアラビアから北インドに向かう道筋のことである。

イタリア人にとって、中国、朝鮮・韓国と日本はあまりに遠い。

ヨーロッパでギャラリストは絵を簡単に見てはくれない。そこが決定的にアメリカ・ニューヨークと異なっている。ヨーロッパのギャラリストは自分が見たいと思わない限りは何も見ないし、見ない限りそれは存在しないも同じである。彼らと接し始めた最初の頃は、その態度は矜持であり立場のようなものかと感じていたが、本当はそうではなかった。ただ立場を守ろうとしているのなら、それは日本の悪しき因習と何も変わらない。

✿

パリでは九十軒のギャラリーを回った。そしてニューヨークと同様に五軒に絞り込み、通訳を頼んで正面から訪ね直す。判断の基準は三つである。空間の豊かさ、企画している展覧会の内容、そして秘書の態度。アジアの東の端からやって来て、実績のない若い絵描きが一体何だというのだ。しかし、「この三つの条件を満たすギャラリーでなければ」という断固とした思いは大切だ。名誉と誇りを捨てたところには何も生まれない。

ニューヨークの体験から、いきなりファイルを開いて話しかけ、通訳のタナカさんに叱られた。

「ヤマモトさん、ニューヨークではどうであったか知りませんが、パリでいきなりファイルを開くのはやめて下さい」

「フランクな態度ではいけないということですか？」

「そうではありません」

その時、タナカさんは上手く説明してくれなかったが、今はそのことの意味が分かる。それは主体と認識ということである。「いきなり訪れて私が見せる」では主体も認識も私のものでしかない。ヨーロッパでは主体がどこにあるのかを明確にしないといけない。それは決して立場を守るというような表面的なことではなく、主体と認識はギャラリーのオーナーにあると彼らは言っているのだ。

挨拶をしながら入り、用件を伝えて待つ。ファイルは脇に挟んだまま決して開かない。簡単なキャリアを紹介し、少し話をする。ギャラリストは心の中で様々な条件を考え、可能性を感じるに至って始めてその言葉を口にする。

「ファイルを拝見しましょう」

その瞬間にすべては逆転する。責任はギャラリストに移っていく。「私が見る。この画家の絵を判断するのは私である。その責任は私にある」と。ファイルを見せて欲しいと言ったその言葉が重要なのだ。ヨーロッパで言葉の持つ意味は重い。まして契約書は、たとえそれが簡易なものであっても責任を伴う。だから彼らは真剣に絵を見る。問われているのは彼ら自身だから。彼らの目が評価されるから。見たことで帰らせようというような感覚は彼らには元々ない。それが彼らの歴史だから。その感覚は彼らの精神の深奥に宿っている。そうしてひとりのギャラリストと契約した。三年間毎年パリに行き、来る日も来る日もギャラリーを訪ねて歩いたある日の夕暮れのマレー地区、疲れ果てた心と体で大ギャラリーの門戸を叩いた。画家は何かの商品を売って歩いている訳ではない。だから見てもらえないのならそれはそれで諦めもつくが、ファイルを開いた結果の否定は画家としての人生の否定である。

その日は、タナカさんが他の仕事で忙しくしていたので、学生のドリスに通訳を頼んだ。ドリスは台湾出身の中国人女性だが、東京に住んだ経験があり、日本語と英語とフランス語が話せる（もちろん北京語も）、パリの大学でファッションデザインを学ぶ学生である。彼女の語学能力は高く、日本語では漱石が原文で読める。対する相手はドゥニーズ・ルネ。サン・ジェルマン・デ・プレに本店を構える、当時の美術界では世界中で知らない人はいなかった名門ギャラリーのオーナーである。私は契約に至ると考えてもいなかったが、サン・ジェルマンの本店で会った折にマレー地区の支店に来るように言われた段階で、彼女は私の展覧会を考え始めていたのかも知れない。天井高五メートル、数百平米の大空間の中で小さく見えるデスク、その上で紙に案件を書き入れながら、小柄な彼女は言った。

「やりましょう。ただしいきなり個展は無理だから、東アジアの、そうね、中国と韓国の作家との三人展にしましょう。次の春に新作を見せて下さい。その時に他の作家を決めて正式に契約します」

有頂天にもならなかった私は、狐につままれて夢を見ているような気持ちだった。パリのマレー地区の中心にあるギャラリーでの展覧会。そこはピカソ美術館から一ブロックの場所なのだ。展覧会は実現するのだろうか。ミラノに戻り、ダネーゼさんとジャクリーヌ夫人に話すと「コージ、良かったね。ドゥニーズ・ルネは素晴らしいギャラリーだよ」と喜んでくれた。ダネーゼ夫妻はドゥニーズと交流があるらしい。百号の新作を二点、渾身の気持ちを籠めて描いた。春、絵をカンバスからはずして巻き、木枠も包んでパリに向かった。しかし展覧会は実現しなかった。ドゥニーズが倒れたのだ。秘書に会うと、申し訳ないけど展覧会の話は分からないと言われた。しかも本契約の前である。結局、展覧会は実現しなかった。

後日、ドゥニーズは脳溢血で倒れたのだと人づてに聞いた。

どのような道であれ、作家として生きていくには才能と努力と運が必要だ。その中では重要な部分の大半を才能が占めると思われているがそれは誤解である。画家になりたいと願い、その道に進む者には必ず与えられた才能が宿っている。幼い頃からの信じる根拠をまったく持たない人間が、果たして画家を目指すものだろうか。しかしたとえば手先が器用である能力は、武器にもなるし邪魔にもなる。そのようなものは才能でも何でもない。作家としての道を歩いていくには、与えられた才能のひとつひとつを愚直に信じる力が必要だ。画家であることが人生の使命だと思い込む能力。それは殆ど妄想といってもいい。そして最も大切なのは努力だが、自分を信じる力が強ければそれを努力とも思わず、画家を目指した彼／彼女は愚直に黙々と自分の道を歩いていくだろう。

しかし、運命を左右することは個人の力で出来るものなのだろうか。ニューヨークで掴んだ契約は、私を認めてくれたキュレーターのスコットがギャラリーのオーナーと袂を分かった瞬間に朝露のように消えてしまった。そのギャラリーはブロードウェイに面している建物の二階にあって、ガラス越しにネオクラシックの柱と壁の見えている美しいギャラリーだった。インターネットもメールもない時代、ギャラリーを辞めたスコットとは連絡が取れず、その後まったく会えていない。

そして今度は、パリのドゥニーズ・ルネが倒れた。

マドリードで学生時代を過ごした私は、スペインを離れた後も欧米の国際展に応募し、また招待されて出品を続けていた。三十一歳でロンドンの小さなギャラリーと契約し何度かギャラリーコレクション展に参加した。三十六歳の時にはポーランドのシンポジウムに招かれてワルシャワに行った。ポーランド政府から給付金を貰い、アカデミーで三メートル近い大きさのタブローを描き、持参した作品と併せて個展も開催された。それでも何か達成感のない満たされない気持ちがあって、世界に出てきたと感じることは出来なかった。

それは、世界に通用する大ギャラリーと契約していない為である。世界流通のギャラリーとの契約、それが画家としての道の第一歩なのだ。美術シーンは、ギャラリスト、コレクター、キュレーター（美術批評家）、美術館のすべてによって作られていく。

質の高い展示、たったひとりの人から伝わる真実、美しい記録、それが歴史を創る。しかし、それは一流のギャラリーでの展覧会でこそ実現できる話だ。歴史に残るギャラリーに見出されることで、やっと画家としてのスタートを切ることができる。そうして初めて多くの人が真剣に絵を観る。人々はさまざまな言葉でその芸術を語り、その絵の記憶を心にきざむ。

❀

ドリス・リーは台北出身の女性である。好奇心が全身に溢れる元気な少女は、最初東京に出て行った。ファッションを学びながら、ついに漱石を原文で読むほどに言語を習得し

ヴェネツィア門
Porta Venezia

たが、東京には彼女の求めているものは見つからなかった。彼女はパリに移住することに決めフランス語を学び始めた。彼女もまた、自分を知るために世界の果てまで旅をしなければいけないと考える人間のひとりだった。

パリの大学に編入しデザインを学ぶ日々。そんなある日、私は彼女と出会った。紹介され美術を語りあって始まった交友は、やがて通訳を頼むことに繋がる。ドゥニーズ・ルネと契約が取れたのは彼女の力なのかも知れないと思う。ドリスには強い運命の力がある。その運命の強さが反対の運命を呼ぶのか、その後何度も何度も大きな困難に襲われるが、その時の彼女はそんなことを想像してもいない。

パリでの就職。大学を卒業し、ソニア・リキエルのアシスタントとして働き始めたドリスは、人事の動きが幸いして程なく部門デザイナーになった。ヨーロッパのファッション界で、デザイナーとアシスタントの立場は天と地ほど違う。デザイナーになったその日から作ったものはブランドの名前で生産されるが、アシスタントは所詮助手であり、その意見は全く反映されない。

デザイナーとして契約できたその幸運は稀有なものである。デザイナーの卵たちは、大学を出てもその大半がインターンシップとしてさえ受け入れてもらえない。運良く採用されてもアシスタントとしての下働きが続き、デザイナー契約を取れないままに時間だけが

生地屋ヴァッリのショーウィンドー
Valli

経っていく。一体どうすればデザイナーになれるのか。道は必ずしもひとつではなく、模範解答があるわけでもない。しかしドリスは彼女の道を歩いていてデザイナーになった。

多くの美しいデザインが生まれ、パリの街角のショーウィンドーに並べられて、デザイナーとしてのドリスの人生が始まった。しかしそんなある日、恋人のキー君の労働ビザが出ないことが決定的となり、やむなくふたりで東京に移住することを決めた（キー君は日本人）。入籍し日本の労働ビザを取得して、今度は東京でデザイナーとしての道を歩くことにしたのだった。パリで得た一流ブランドのデザイナーの立場を捨て去ることを苦難だとも勿体ないとも思っていないドリスの、きっぱりとした顔を思い出す。ふたりは台北で挙式し、私は引き出物として食べきれないほど大きな月餅をもらった（結婚式で月餅を贈るのは台湾の習慣であるという）。

アルバイトをして生活していたドリスは、やがてファッションブランドのニコルに就職した。ここでも彼女は人事の動きからあっさりと部門デザイナーになり、爬虫類をモチーフに襟元をカットしたシャツで話題をさらった。今ではごく一般的になったが、当時はメジャーのブランドが爬虫類のモチーフを使うことは珍しかった。彼女のデザインは質が高い。ヤモリでさえ、彼女の手にかかると自然の持つ造形の見事さが際立ち、愛らしいデザインになっていた。

順調な仕事と幸せな日々。彼女は妊娠し、男の子が生まれた。しかしある日突然、すくすく育っていたその子が小児癌に襲われた。若い夫婦は子どもを救うために奔走し、名医を訪ね歩き、つてを求めて必死に戦った。

何もかもが手詰まりとなった頃、実家の父親から台湾に小児癌の名医がいるという情報が入り、ふたりは台湾に移住することを決意した。

厳しい戦いの何年かが過ぎ、奇跡が起こった。子どもは病を克服して全快した。彼は日を追って元気になり、今では聡明で闊達な青年に育っている。ドリスは再び仕事につき、ファッション雑誌『ELLE』の編集部で働き始めた。そんなある日、パリでエル誌の世界編集長会議があり、ドリスは台湾『ELLE』の編集長として、黒いスーツ姿で颯爽とパリにやって来た。気づくと彼女はエル誌の編集長になっていた。

ドリスの人生を見ていると、自分のしていることが努力でも何でもなくて、平坦で平凡な道であるように感じる。朝六時に起きて顔を洗い、眠い頭でデッサンを始める毎日。庭の木の枝に風を感じ、空と雲に光を感じる。遅い朝食。ゆっくり絵具を溶き、色彩を確かめ、考える。カンバスを張り、最初のひとふでを入れる。雑念をはらうためにする祈りのような動作。淡々と描くこと、それが画家としての人生なのだ。

日々の制作の繰り返しの中に、ふとした静寂が訪れる。そんな時にはいつもドリスのことが心に浮かぶ。画家としての人生を守るために戦って、というドリスの声が聞こえる。

マンゾーニ通り
Via Manzoni

ナヴィリオ画廊とレナート・カルダッツォ

マンゾーニ通り Via Manzoni
ギャラリー・ナヴィリオ Galleria Naviglio
ガリバルディ通り Corso Garibaldi［215頁］

マンゾーニ通りは、ヴェネツィア大通りと並行して、路面電車《トラム》の1番が走る通りである。通りの名前がそこで終わる北の端には、ミラノでは珍しく古い時代の姿で残されている門があり、門に穿たれたせまい空間を、身を縮めるように路面電車《トラム》と車がカヴール広場に抜けていく。その反対に南の端では、通りが大聖堂《ピアッツァ》広場《ドゥオモ》に突き当たっていて、路面電車《トラム》はコルドゥージオ広場に向けて大きく右に曲がる。

ではマンゾーニ通りの南端に立ち、光が射し込むガレリアのアーケードを右手に眺めながら、北のカヴール広場に向ってみよう。路面電車《トラム》1番の古い車体がぎしぎしと音を立てて走るのを横目にして通りを歩いていくと、左側にトラサルディの本館とオペラの殿堂・スカラ座が見えてくる。スカラ座では正面扉の庇の下に入り、掲示してある予定表を確かめる。今シーズンのオペラの演目は何だろう。ドミンゴが歌う日のチケットは手に入れるのが難しいかな。オーケストラは誰が振るのだろう。などと考えながらシーズンのポスターを眺めるのは毎年恒例の楽しいひとときである。

夏になるとスカラ座の公演が休みになるので、オペラファンはヴェローナに野外オペラを観にでかけて行く。ヴェローナは、ミラノからヴェネツィアに向かう街道の中間に位置する古都で、街の中心の広場には二万人を収容できる古代競技場が残されていて、毎夏、七月末から九月の第一週までの間、野外オペラが上演される。ドイツや近隣の国からも沢山の人が大型バスでやって来る。

二万人の観客と大きな舞台。野外オペラでは、歌手の声は古代競技場のちょうど中心に聴こえる。一般の劇場では、反響板は舞台の背景に仕組まれるが、野外劇場は建物全体が大理石で出来ているので、そのすべてが反響板であり、歌手の声は宙空に結ばれるのである。私たちは、音がまるで野外劇場の真ん中の空間に浮かんでいるのを見ているような気持ちになる。

長時間続く野外オペラは、過ぎていく時間そのものである。演劇はどのようなものであれ閉じられた特殊な空間で行われるので、それが劇場でも映画館であっても、観終わって外に出た瞬間に夢はとけ、私たちは現実世界に引き戻される。その時私たちは時間が切り取られて別の世界にいたことを知るのだが、物語の時間と現実の時間は必ずしも同じではない。しかし、野外オペラはそれとは少し異なっている。「アイーダ」のような仕掛けの大きな演し物では、本当の馬も、時には象も登場する。古代競技場の階段状の座席から広い舞台を見下ろし、バレエの群舞の動きのひとつひとつを眺めることができる。日中夏の日差しに照らされて、座席の石はまだほのかに温かい。観劇しながらワインを飲み、生ハムをつまむ。照明に浮かぶ壮麗な舞台を観ながら、また同時に月を眺め、流れ星を目で追う。夏の夜なのに、さやさやと風が吹いて来ると少し肌寒い。

オペラの発声は「ベル・カント」と呼ばれる。声を喉から出すのではなく「マスケラ（仮面）に響かせる」と、しばしば彼らは自分の手を広げて額と鼻梁を覆って見せる。専門家ではないのでそれが本当はどういうことなのかは分からないが、オペラ歌手の声は他の音楽とは違い直接肉体に響いて来るために、古代競技場のベル・カントはオーケストラの管弦楽と歌手の声と観ている人の肉体をひとつにし、また同時に鑑賞者である私たちに、宙空に結ぶ声を見るという体験をさせてくれる。

――リアルな仮構。

野外劇場で夜の九時に始まり十二時まで続く長い上演。それは、異なった多くのものが、ひとつの場所に集合して感じられる時間である。ヴェルディによって作られた歴史上の物語と私たちの時代が層となり、管弦楽と声楽で組み立てられる音楽の聴覚と宙空に結ぶ声の視覚が二重になり、温められた石の上で楽しむワインや生ハムとオペラ鑑賞という特別な日常が重なり合う。それはリアルな身体的体験としての仮構なのだ。

やがてオペラは終演し、二万人の聴衆はそれぞれの帰途につくが、終演後も私たちはまだ同じ重層した時の中に生きていて、広場のカフェでひとときを過ごしている。その前を、公演を終えた歌手たちが帰って行くのに気づいた私たち聴衆は、全員立ち上がり、拍手を送って手を振る。歌手も楽団員もそれに応えて手を振り、カフェの前を宿の方向に去っていく。月の美しい古代競技場前の広場では、物語はまだ続いている……。

スカラ座の前にはダ・ヴィンチの彫像が見下ろすスカラ座広場、つづいて老舗生地店ヴァッリ（縫製していない生地でアレンジした豪華なドレスの形のマネキンがショーウィンドーを飾っている）、さらに北に向かうと、右側にモダン・クラフトの名店アレッシがあり、モンテ・ナポレオーネ通りを跨いだ歩道の対岸にはジョルジョ・アルマーニの本館が建っている。

この通りはミラノファッションの中心のひとつであり、秋のシーズンの初めには、モデル、デザイナー、バイヤーが世界中から集まり、街頭に溢れる。九月の第二週か三週に開かれるファッションナイトの日はどの店舗も夜遅くまで営業し、バールでは着飾った人々が立ったままグラスを持って語り合う華やかな光景が見られる。

その目抜き通りの中心に、ギャラリー・ナヴィリオはあった。ニューヨークでキュレーターのスコットが突然ギャラリーを辞め、パリではドゥニーズ・ルネが倒れて、私は自分の運の無さに呆れていたが、それでも通訳を頼み、ここミラノでギャラリーの門戸をたたいた。

ギャラリー・ナヴィリオは歴史的な画家と彫刻家の数多くと契約してきた、第二次大戦後のイタリアで現代作家を扱った最初期のギャラリーである。連合軍の空爆で破壊されたミラノの街は戦後の荒廃から急速に復興を進めていた。一九四六年、カルロ・カルダッツォが開き、その後弟のレナート・カルダッツォが引き継いだギャラリーが目指したものは、キュビスムの次の世代の絵画である。ピカソとブラックが一九〇八年に描き始めたキュビスムのスタイルは純粋な造形の追求だったが、ダダイスムやシュールレアリスムといった思弁的な美術運動に影響を与え、その一方でモランディやフォンタナのような新しい造形を目指す画家たちを産んだ。

モランディは昇華されたスタイルで、形の多面性と光と影（陰）という人類誕生から続く課題を、花瓶とマグカップと壺に託して生涯描き続けた画家である。彼の画面にはいつもいくつかの器があるだけで、他には何もない。だが、絵を見慣れた人の目には、観ているその時に謎が浮かび、ふと足が止まる。

何となく感じる違和感は、モチーフの花瓶やカップが、現実にはわずか十センチほどの奥行きしか持っていないに拘らず、光と影が交錯し、微妙に揺らいで見えるせいである。

花瓶や壺を正面に並べ、見ている位置を少し変えて多面性を表し、光と影の角度を違える。それはキュビスムの正当な継承であり、物質の存在をいかに平面に置き換えるかという人類の永遠の課題であるけれど、モランディは静謐な表現でそのことを描きたかった。わずかな身振りとすこしの言葉。絵の表面は物質である。私たち絵描きはそれを理解し常に意識しているが、鑑賞者はあまりそのことを考えない。絵は描かれた世界の情報ではない。目先の情報の面白さで作られた絵は退屈だ。ありきたりですぐに飽きる。現代風な情報を見た目に囚われて描いた絵は、ネットで眺めても何も違わない。それはただの情報に過ぎない。

フォンタナはカンバスを切り、最初は思いつきであったかも知れないが、結果としてあることに気づいた。表面の物質を露呈させ、その位置に立つことによって表現できるもの。それはまだ語られていないひとつの絵画なのだと。彼の意図とは別に彼の絵画はその後に錯視やレリーフ表現が生まれるきっかけとなるが、フォンタナ自身はファションや装飾に流されることなく、絵画の歴史に留まっていた。今日、仕掛けに傾斜したオプティカル・アートとフォンタナの作品が違って見えるのは、それぞれの立つ位置が異なっているからである。絵は、それを観ている人間の認識の中に存在している。しかし、錯覚をテーマにした造形は必ず錯覚そのものを合目的化する。錯覚という生理反応に訴えられた鑑賞者は不思議な感覚を体験するが、ついに新たな認識を獲得することはできない。

それまで理解できなかった絵画がある日腑に落ちた瞬間に感じる目覚め、それが芸術の体験である。

❦

その日のレナートは、大通りに面した若い作家の作品だけを並べた明るいギャラリーにいて、秘書と立ち話をしていた。ギャラリーの右側の入口から門をくぐって中に入ると、外から想像していたよりはるかに大きな空間が現れ、石造りの中庭には空から光が射して来る。隅には鉢に植えられた観葉植物があり、水を撒いた後なのだろうか、石の床は少し湿気を帯びて濡れている。右側の回廊にはギリシャ風の柱頭で飾られた円い柱が並んでいて、回廊の反対側に、通りに面した空間とは異なった印象のギャラリーがある。クラシックな木製の窓と扉、低い天井、コレクターのプライベートな部屋に迷い込んでしまったような気持ちにさせるその場所には、デ・キリコ、ボッチョーニ、モランディ、フォンタナ、シローニ、トヨフク（豊福知徳）、ナカイ（中井克巳）という、これまでにギャラリーが契約してきた作家たちと併せて、ピカソ、ミロといった国外の作家の作品も並んでいる。中庭をさらに奥に行くと、突き当りが企画展の空間である。巨匠たちの部屋とは一転して、真っ赤なドアの奥に広がる天井の高い空間は、現代的なホワイトキューブである。レナートはその展示室の手前の部屋に、壁全面の書架を背景にして大きなデスクを構えていた。細身の体にくたっとしたスーツ。すこし猫背の彼の鷲鼻の両側の茶色い眼は、話が重要な部分にさしかかると色が深くなるように見えた。

最初にレナートと会った日、パリのタナカさんの教えを守り、ファイルを脇に挟んだまま話をした。通訳として伴ったクリスティーナの気さくな雰囲気のお陰で会話ははずんだが、彼はファイルには一向に興味を示してくれない。ファイルが何なのか気にしているように感じるが、それは違う。そのことの意味を理解するのに、それから更に十年かかった。礼節としてどのように対応するべきかはパリでの失敗から学んでいたが、長い間それを解析することができなかった。

今はそれが分かる。彼らは目に入ったものを必ずしも前景化しない。見えてはいるが、意識の後景にあるものを認識には至らせず、言語化もしない。それはまだ「私」ではない。彼らは意地悪をしているのでも、感覚が鈍い訳でもない。何度も説明する粘りが功を奏したように見えることもあるが、そうではない。前景化する責任は彼ら自身のものなのだ。

彼らは前景に近づく。ローマ時代の昔から、彼らは自ら近づき、そうして言葉を発してきた。

「持っておられるそれは、作品の記録ですか？」

ギャラリー・ナヴィリオのオーナー、レナート・カルダッツォは、カタログや記録の画像から一目で私の絵を気に入り、次の日にオリジナルを見せて欲しいと言った。翌日約束の時間に持っていったのは五十号（一一六×八一センチメートル）と小品のサムホール（一六×二二センチメートル）で、二枚とも赤色の絵だった。私の絵の赤はカドミウム・レッドとチャイニーズ・レッドにクリムソンの混色だが、たっぷりの溶剤で溶いた薄い絵具を何度も重ねて作る絵肌は、光を帯びて深く沈みながら輝いて見える。正面から、側面から、近づきまた離れて、レナートは真剣に私の絵を見てくれ、そして言った。

「この絵をお預りしたいのですが、いかがですか」

絵は早速彼のデスクの前の壁に掛けられた。それは夢のような瞬間だった。キリコやフォンタナと並んでいる自分の絵は何かの冗談のようでもあった。

「しばらく眺めさせてください。展覧会の話はその後でしましょう」

レナートは預かり証を書き、渡してくれた。しかし、ふたたび彼と出会うことはなかった。ある日倒れて入院したレナートはその後の手術でも回復することはなく、病との闘いに破れて第一線を去った。ギャラリーからの連絡で預けていた作品を受け取り、秘書と少し話をした。

パリのドゥニーズに続いてミラノでもギャラリストが倒れ、展覧会は実現しなかった。私は心の闇に落ちることもなく、そういうことかとあっさり感じたが、現実は何も変化せず、また同じ日常生活が繰り返されていった。

「コージ、ナヴィリオ画廊のレナート・カルダッツォに招待状を出したの？」

ボッカ書店の若社長、ジョルジョが怪訝そうに言ったので、以前彼と付き合いがあったことを話した。

「レナートは亡くなったよ。二年前の春だったかな。手紙が返ってきた」

ガレリアのボッカ書店での展覧会の準備の最中に、レナートとの別れが突然やってきた。彼が入院してから一度も会うことのないまま八年の時が流れていたが、レナートの死を

1511

聞いた瞬間、彼が少し肩を丸めて話す姿、マンゾーニ通りから入ったところに広がる中庭の湿った空気と斜めに射して来る光、ギリシャ風の円柱、額縁のような木の窓枠とガラス越しに見える美しい展示、それらの光景が目の前を走馬灯のように流れていった。

私は、ナヴィリオ画廊の展覧会への思いが自分の中に残されていたことを、その時はっきりと知った。

ガレリア・ヴィットリオ・エマヌエーレII世
Galleria Vittorio Emanuele II

ボッカ書店と、社主ジャコモ・ロデッティ

「ボッカ書店を知ってる？」

「知っているけど、どうしてそんなことを訊くの？」

愛らしい銀製品の並ぶショーケースの前で、マリーナ・アルベルティは私に話す。ガレリアの天蓋の真下、四つ角の一角を大きく占めている老舗宝飾店ベルナスコーニでの話だ。レナート・カルダッツォとの別れから七年の時が流れていた。その七年の間に、私はドイツ文化庁の推薦で展覧会を開き、ミラノの街中の小さなギャラリーでも展覧会を続けていた。しかし、さして評価も得られないまま過ごしていたそんなある日、マリーナから連絡があり、会って話したいことがあると言うので彼女を訪ねた。


ボッカ書店は、大聖堂からガレリア・ヴィットリオ・エマヌエーレII世に入ってすぐ右側にある、現存するイタリア最古の美術書店である。ショーウィンドーにはポモドーロをはじめとする彫刻家のオリジナルや、ピカソ、カステッラーニといった画家たちの限定画集が並び、物語に出てくるように美しいその構えに気圧された私は、長い間その書店に入ることが出来ずにいた。

マリーナの話から遡る何年か前に、メダルド・ロッソの画集を求めて一度だけその書店に入ったことがあった。ロッソの画集を探していることを伝えると、若い男性が機敏に梯子を昇っていき、三冊の画集を取り出して書見台に置いてくれた。一冊は一九三〇年代の、もう一冊は一九五〇年代の、そして三冊目は最近出版されたばかりの画集だった。

ヨーロッパには再販制度がない。だから古い出版であっても、美術書は古書扱いされないことが多い。書店には、最近出版された画集と戦前に出版された画集が肩を並べて置かれている。彼らヨーロッパ人にとって美術書は美術品と同じ文化遺産であり、またそれらはいつも現在のものなのである。小説は古書として扱われるが、それでも作者と装幀によっては作家とともにデザイナーの名前がひとつの価値となり、時に一般書店の稀覯本のケースに並べられる。

ここボッカ書店には六千冊の美術書があり、そのすべてが内容と作家名によって分類されている。価格もまた適正に保たれ、一九三〇年代のロッソの画集には平均月収並みの価格がついているのでとても買えないが、五〇年発行の画集はそれよりも安価で、最近のものは普通の価格だった。私は意を決して一九五〇年にミラノで印刷されたロッソの画集を買うことにした。黄色く変色した紙、活版で印刷された文字、フィルムで撮影された彫刻とアトリエの写真……散々迷った末に買い求めたその画集は、それまでの人生で購入した中の最も高価な一冊で、私にとって貴重な宝石のようになった。

ロッソの彫刻を初めて見たのは、公園の南側にある近代美術館だった。

一八五八年トリノに生まれたロッソの彫刻を、十九世紀末美術の流れの中に位置付けて浮世絵の影響や輪郭線の強調について語るのは簡単だが、その考え方では、見たあと心に残る棘のようなものが何であるのかがよく分からない。それは視覚に直接触れて来るような感覚である。

ロダンと同世代のロッソはパリ時代に交流もあったが、ロダンからの影響は受けていない。ロダンのアシスタントをしていたブールデルにも共通して言えることだが、「完璧」を目指したロダンに欠けているものを、二人はそれぞれに目指していた。ロッソとブールデルを見た後に残る心の棘は何なのか。それはある世界を語るために打たれた刻印である。

今にも空間に溶け込んでしまいそうな少年の顔。照らす光によって造形が変化して見えるのは立体だから当然だが、ロッソの彫刻は照明の角度と強弱によって、存在そのものが移行して見える。移行しているもの、それは時間である。それ自身の中で時間が移っていくとしか説明できない、それがロッソの彫刻である。

時が「うつろう」という表現は、日本語ではややネガティヴな印象を持っているが、ロッソの彫刻に流れる時間は衰退を表していない。少年の顔は私が見ている目の前で、かたくなで思いつめた表情が、空間に溶け入りそうな甘く優しいものに変化する。立ち位置によって変化していく刻々の造形。彼の言うように「手で触れることで、彫刻の存在価値——骨格と色彩を意識化することはできない。美術作品の真実を感じとるためには触覚ではなく、目で観ることによって記憶と認識に覚醒する共鳴にこそ、世界を委ねなければならない」のである。光や陰の所為かと思い移動してみるが、斜めに見ても後ろに回り込んでもそのこととは関係がない。ロッソの彫刻が表現しているものは、はかなさではないし、存在のあやうさでもない。そのことを多くの人は誤解している。正面から真横に回り込んだ時に現れる厳しい造形感は何なのか。ロッソの彫刻の幼な子や少女、あるいは老婆の表面に見えるものを、アールヌーボーやラファエロ前派に重ねて浮世絵の影響を語り、日本語の「うつろい」になぞらえる。あるいは、彼自身の言葉から「印象派」の絵画と重ね合わせて考える。それはいかにも分かりやすい話ではないか。しかし、ロッソはギリシャに始まるヨーロッパ美術史の中にいて、現代（十九世紀後半当時）の美意識に新たな認識を与えることを考えていた。

かつての彫刻はロダンがそうであるように、ある瞬間の真実を彫り出そうとした。ギリシャのヴィーナスも、ミケランジェロのダヴィデも、ロダンの青年も、すべては造形の真実、その究極の姿を表現しようとして作られた。だから物語は背景としてそれぞれの彫刻にまつわっているものを、それを見ている私たちの側が読み込んでいるのである。私たちは歴史を学び、人間と芸術に思いを致して、ギリシャ彫刻を、ミケランジェロを、ロダンを見ている。

しかし、ロッソは違う。彼の彫刻には、その造形自体が表現の回答であることを良しとしない、ある何かが組み込まれている。私はそれを時間であると推論したが、「時間」は名付けることのできないロッソの精神の内奥を象徴したひとつの概念に過ぎない。それは、鑑賞者がその前で過ごす「時間」、ロッソ自身が中に組み込んだ「時間」とそのふたつが重なって生まれる別の「時間」であり、私がまだ言葉にできないでいるもうひとつの何かである。

♛

「ボッカ書店の若主人が展覧会の出品者を探しているというからコージの話をしたら、作品を見たいって。彼の名前はガブリエーレ。一度たずねてみてね」

マリーナのそんな言葉に、何度も挫折を重ねて期待することを忘れている私は、グループ展である気楽さから、作品の記録と小さなタブロー（＝カンバスや板に描いた絵）を持ってガブリエーレに会いに行った。

「ボンジョールノ（こんにちは）。ベルナスコーニ宝飾店のマリーナ・アルベルティさんに紹介していただいたヤマモトです。ガブリエーレさんは居られますか？」

「僕です」

ガブリエーレは、数年前に初めてそしてただ一度ボッカ書店に入った折に、メダルド・ロッソの画集を棚から下ろしてくれたその青年だった。ガブリエーレはテキパキとした態度で私のタブローを見て、グループ展について説明してくれた。出品することが決まり、額の手配も任せて作品を渡し、預り証を受け取った。その時、奥の事務所からのっそりと眼光の鋭い男性が出て来た。太い枠の眼鏡の奥の射るような眼差し。彼が誰なのかはすぐに推測できたし話をしてみたいと思ったが、きっかけが見つからない。そこで、持っていた日本の菓子を差し上げることにした（老舗和菓子店「河藤《かわとう》」の菓子は美しい装身具のようだ）。

「この日本のお菓子を差し上げたいのですが……」と尋ねる私に対する返答は、いかつい外見からは想像できないほど柔らかなものだった。

「私がいただいてもよろしいのですか？」

今でも覚えているその瞬間に感じた不思議な奥床しさは、世間で変わり者と思われ、一徹で断固とした意見の持ち主のジャコモには似合わないものだった。親しくなった今でも私は時折怒りをぶつけるし、ジャコモも自分の意に染まないことは「ＮＯ！」と大きな声で否定する。彼はいつになっても私のへたなイタリア語を揶揄し、話を聞こうとしないこともある。

その日の出会いが、その後に長く続くジャコモとの付き合いの始まりとなった。

♛

ジャコモは河藤の干菓子を食べながら、私が脇にはさんだままのファイルを見ている。いや、それは私の思い過ごしだ。彼の意識の前景にはまだ私の絵のことなど浮かんではいない。

「美味しいお菓子ですね」

「気に入っていただけて嬉しいです」

当たり障りのない会話がしばらく続き、やがて彼の意識の前景に、私の絵を見るという明確な意思が現れた。

「持っておられるファイルは作品の記録ですか?」

印象的には随分長い時間のように感じたが、実際はそうではなかったのかも知れない。丁寧に一作一作を見ながらページを繰っていくジャコモ。私の作品は構築的な時代から、柔らかな形が画面全体に大きくうねるように描かれた《無垢の形 Innocent Form》に移行していた。そして彼は言った。

「ありがとうございます」

「いいえ、どういたしまして」

一呼吸おいて彼は続ける。

「ところで、明日の午後に時間があればカフェをご一緒しませんか」

私はその真意を測ることもなく、喜んで、と返事をした。では明日の三時にと言うなり、挨拶もせずジャコモは奥の事務所に入っていった。

♛

ジャコモと別れガブリエーレに挨拶をして外に出ると、ガレリアの天井からは乳白色の光が差し込んでいた。高さ三十メートルの美しく巨大な空間ガレリアは、一八六五年から一八七七年にかけて建築された十字形の商店街である。

「ガレリア・ヴィットリオ・エマヌエーレII世」という名前の由来は、一八六一年イタリア王国が独立を宣言した時の王の名前である。イタリアはローマ帝国崩壊後の長い間、都市国家としてはヴェネツィア、ジェノバ、ミラノ、サルデニアと、それぞれに独立し機能していたが、全体が国家としてはまとまっていなくて、中世以後、何度もスペイン（ブルボン）、フランス（ナポレオン）とオーストリア帝国（ハプスブルク）の支配下に置かれ、苦しんでいた。一八〇〇年代に入り、繰り返し抵抗運動を起こすがことごとく鎮圧され、当時のオーストリア帝国の宰相メッテルニヒは「イタリアとは地理上の位置に過ぎない」と権力を笠にきた発言でその弱体を馬鹿にしてイタリア人の怒りを買い、それが独立戦争を引き起こすきっかけになったとも言われている。一八四八年、サルデニア王国を中心に多くの地域を奪還、一八六一年にはイタリア王国が建国された。

　繰り返された領土をめぐる戦争の中でも一八〇〇年代の一連の戦いはイタリア人にとって大切な記憶なのだろうか。その跡は、広場の名称（チンクエ・ジョルナーテ＝五日間の市民蜂起、ピアッツァ・リソルジメント＝国家再興広場）だけでなく、多くの通りの表示板に残された領土奪回の戦いで死んでいった個人名に見ることができる。アパートの近くにあるチーロ・メノッティという小さな通り。「チーロ・メノッティ愛国者1798－1831」と銘板に書かれているそれは、三十三歳という若さで亡くなっている事実とその年代、「愛国者《パトリオータ》」と書かれていることから容易に連想されるが、詩人でも作曲家でも政治的英雄でもないのに拘らず、彼はイタリア独立のために戦って処刑され、チーロ・メノッティ通りという地理的名称となり、その名をミラノの街角に残すことになった。「愛国者《パトリオータ》」と書かれた通りは意識して見ると町中にいくつもある。通りの名称表示板のタイプフェース（フォント＝文字の形）を研究して歩いていて、ある日そのことに気づいた。

イタリアでは通りの角の建物の地上階と一階（日本の一階と二階）の間に、通りの名称の表示板が取り付けてあり、そのほとんどは文学者、哲学者、詩人、画家、作曲家、映画監督、政治的英雄の個人名である。通りには、起点である広場などから順に番地が偶数と奇数に分けて振られていて、通りの左側は、最初が1番地でその次は3番地そして5番地と続いていく。反対に右側は同じ通りの偶数で、2番地から始まり次は4番地となっている。通りは、時に車道を横断するだけで名前が変化し、逆に大きな広場を越してもまだ同じ名前のこともある。西ヨーロッパの都市はおおよそこの原則に沿って作られていて、例外は少ない。

♛

翌日、ジャコモとの約束に間に合うよう路面電車《トラム》に乗り、ガレリアに向かった。路面電車《トラム》23番はピアーヴェ通りを南下する。旧式の車両なので一両のみの編成、丸いガラスの傘で電球が明滅するレトロな趣きの電車である。「チンチン」と音を出しながら走っ

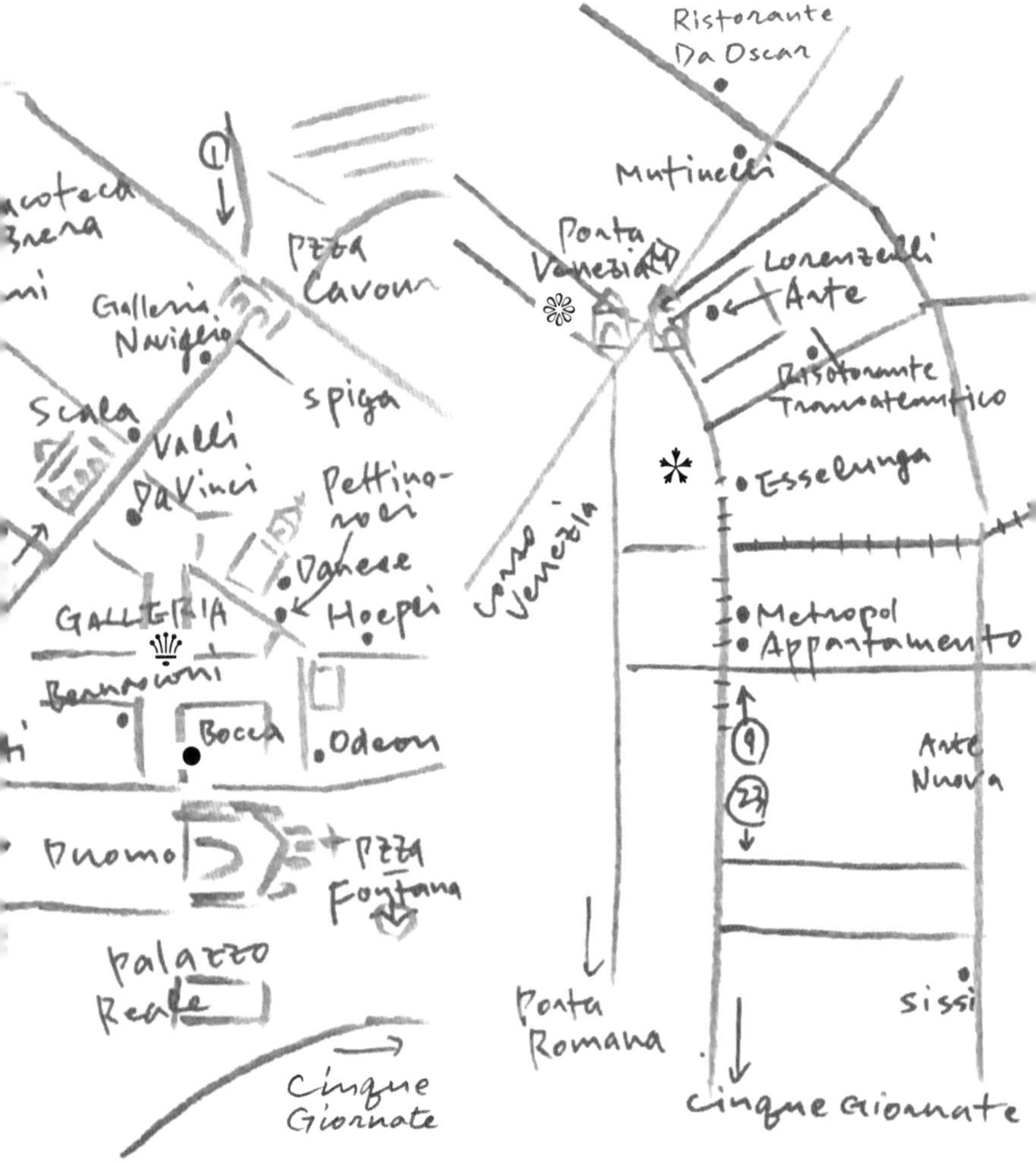

♛ ガレリア・ヴィットリオ・エマヌエーレⅡ世 Galleria Vittorio Emanuele II
● ボッカ書店 Libreria Bocca
✲ ピアーヴェ通り（Viale Piave）［109 頁］

ていくと、ひとつめの停留所はトリコローレ広場。左に大きな教会、通りをはさんだ右側にはマリーナ・チャネッティが経営するモダンジュエリーの店スパツィオ・エがある。次の停留所はプレムーダ。ここから道の名前が替わる。そしてアパートから三つ目の停留所がチンクエ・ジョルナーテ（五日間の日々広場）である。路面電車《トラム》23番はここで右に曲がり、大聖堂に向かう。

チンクエ・ジョルナーテは、その言葉の意味の通り、市民の戦いの五日間を記念した広場である。ミラノは一八四八年の五日間の市民蜂起でいったん独立を勝ち取るが、その後の戦いに敗れて再びオーストリア帝国に併合された。広場中央のオベリスクには傷つき立ち上がろうとする市民の姿が彫刻されていて、イタリア建国を象徴する記念碑となっている。この広場が鎮魂の場所であることは国外から来る人々にはあまり知られていないが、蜂起で亡くなった多くの市民が今も記念碑の下に眠っている。

路面電車《トラム》はギシギシと車体を軋ませながら、ポルタ・ヴィットリア通りを大聖堂《ドゥオモ》に向かって進んでいく。右手にコイン百貨店と画材店が並んでいるのを眺めていると、やがて左手に幅百五十メートル、奥行きが二百メートルもある巨大な裁判所の建物が見えてくる。裁判所、市立図書館を過ぎると路面電車《トラム》23番はラルガ大通りから右脇の分線に進入し、フォンターナ広場に到着する。ランブラーテ駅を出発、ミラノ工科大学の敷地を通過し、街を東西に横断して走ってきた23番の終着駅は、大聖堂《ドゥオモ》の真裏にある噴水の広場《ピアッツァ フォンターナ》である。

噴水前の停留所に降り立つと、目の前に大聖堂《ドゥオモ》の尖塔と金色に光るマドンニーナが見えて来る。「マドンニーナ」は、「マドンナ（聖母マリア）」に指小辞がついた「ちいさなマドンナ」という意味の言葉である。

大聖堂《ドゥオモ》のマドンニーナはミラノの守護神と言われる彫像である。一八一三年に大聖堂《ドゥオモ》が完成してから、マドンニーナは常にミラノの街の最も高い位置に立っていなければいけないという不文律があったが、一九三〇年代、法律が正式に決まり、そのため当時進行中であった高層ビルの建築計画がいくつも立ち消えになった。そこで考えられたのが、大聖堂《ドゥオモ》のマドンニーナより小さなマドンニーナを作って、新しく建つ高層ビルの屋上に設置するというアイデアである。そうすれば、マドンニーナはいつもミラノの最も高い場所にいることができる。こうして一九六〇年に、当時のミラノで（欧州においても）最も高いジオ・ポンティ設計のピレッリ・ビルがミラノ中央駅の前に完成し、屋上には純金に輝く「小さなマドンニーナ」が置かれることになった。その後は、より高い高層ビルが建つたびに「小さなマドンニーナ」は移動しているという。

この冗談のような辻褄合わせは本当らしいが、私はまだそれを見たことがない。

♛

路面電車《トラム》の終着駅である噴水の広場《ピアッツァフォンターナ》からガレリアへは歩いて二分の距離である。道路を斜めに横断し、王宮に向かう道から大聖堂《ドゥオモ》の裏手を右に曲がると、正面にヴィットリオ・エマヌエーレ通りの回廊が見えて来る。急がないといけない。ボッカ書店主ジャコモ・ロデッティとの約束は午後の三時だ。カフェをご一緒にと昨日彼は言っていた。歩きながら話したいことを頭の中で繰り返す。

ミラノでは仕事の時間は厳密である。それは彼らのゆったりと見える暮らしの印象とはかなり違う。早目に着き、時間が来るまで待っているのは世界共通の礼儀かも知れないが、遅刻は十分まで、しかも仕事は突然と言っていいほどのすごいスピードで始まり、一旦始まると脇目をふらずにやり続け、ある時パタン、と終る。緩急と粗密、それがミラノかも知れない。

ミラノは朝も日本で考えられているよりはるかに早くて、六時半には街はもう動いている。清掃車が散水して大型ブラシで道路を磨き、カフェが次々に開店する。そこには、午後のカフェやアペリティフの夕べを悠然と過ごす人々の姿からは想像できない、もうひとつのミラノがある。

ガレリアの雑踏をかき分けてボッカ書店に到着。気持ちを鎮めてブザーを押す。ボッカ書店は普段は扉を閉めているので、ブザーを押して解錠してもらわないと中に入れない。一日に十万人を越す観光客が訪れるガレリアで、書店内の静謐を守るのはかなり難しい。たまの週末に扉を開けていることがあるが、物見遊山の観光客がなだれ込んできて大変なことになってしまう。彼らは戦前に出版された画集を探しているわけではないしピカソの限定版を見たいわけでもないが、観光客にとって、ボッカ書店はミラノの美しいパーツのひとつなのである。

「ボンジョールノ（こんにちは）、ヤマモトですが、ジャコモさんはおられますか」

私の声を聞いて、すぐにジャコモが奥から出てきた。

「ボンジョールノ、ヤマモトさん。これからは名前で呼びあうことにしませんか」

「はい、結構です。私の名前はコージです」

「分かりました。僕はジャコモと呼んでください。ではコージ、カフェはいかがですか」

「砂糖はなしでミルクだけお願いします。ありがとう」

カフェを飲み始めると、ジャコモがいきなり話を切り出した。

「うちで本を一冊出しませんか。八頁で、あなたの絵が一枚と詩が一編入るというものです。お見せしましょう」

そう言いながら、突然の話に唖然としている私にジャコモが見せてくれた薄く小さな冊子は、それだけでヨーロッパの伝統のすべてを表しているような美しさであったが、本を包んでいる空気を言葉で説明することは難しい。

紙の漉き跡を残し、フランス装のように端に残った波打ちを裁ち切らずに綴じているわずか八頁の小冊子。手漉きハーネミューレ紙の自然な生成りの表紙の上に、タイトル、詩人と画家の名前、印刷工房のロゴマークとボッカ出版の文字が、活字でしっかりと印刷されている。私は頬の紅潮を自覚しながら活版のくぼみにそっと手を触れた。

表紙を開くと左頁には簡潔な前書き、右の頁には詩が一編とその下に小さな文字の解説があり、さらに頁を繰ると絵が一枚挿入されている。そして奥付。限定三十三部の文字に、このシリーズ企画の内容と出版社ボッカの名前。


心を奪われて本を眺めている私にジャコモは言った。

「これは現代画家と彫刻家のドローイングか版画を、作家が選んだ文章の一節または詩と合わせて本にする企画です。作家それぞれ一冊で各限定三十三部。そしてシリーズ完結後に、ひとりの彫刻家を選んで表紙を作り、中を九分割した箱帙《はこちつ》に入れてすべての小冊子を収納します」

目を輝かせて語るジャコモに私は何も応えることが出来なかった。この本が私の名前で本当に出版されるのだろうか。

最後に大判の箱帙を作ることの意義もよく理解できず、私はただ呆然とジャコモの話を聞きながら、かつてダネーゼさんに言われたことを思い出していた。

「ベストを尽くしていい展覧会をしなさい。真実は必ず伝わる。しかしそれだけでは駄目なのです。いい記録を残しなさい。たとえ少ない頁でも、美しいカタログを作りなさい。それが歴史になるということなのだから。ヨーロッパでは歴史はそうして創られてきたのです」と。

残された一冊の美しい本。それが西欧の歴史を作ってきたとダネーゼさんは言った。体に熱いものが流れ、よく分からなくなった私に、ジャコモは複写式のレターヘッドに契約書を書いて渡してくれた。

「十二月のクリスマスの前までに作品を持参して下さい。詩か文章の一節はコージが選んで必ずイタリア語で用意すること。それから、本のタイトルと詩の説明は短くまとめて。作品は三十三枚とアーティスト・エディションが必要ならそれも。分かりましたか」

そう言って端的な説明を終えたジャコモの目の中に、一瞬何かが浮かんだ。

「ところで、明日の夕方に、もう一度カフェをしに来ませんか？」

その言葉を聞いた時、私はジャコモの考え方を理解した。彼はなぜ昨日の段階で出版の提案について何も言わなかったのか。彼は可能性を言葉にして期待を持たせるようなことはしない人間なのだ。しかし、人には考える時間が必要だ。カフェに誘い、再会を約束する。そして次に会うまでの二十四時間に彼は思いを巡らせる。「ヤマモトの本を出すべきかどうか」と。決めるのは彼なのだ。主体は彼にあり、私にはない。今、彼が何を考えるためにもう一度時間を空けたいと思ったのかは分からないが、明日の約束を確認して書店を出た。

♛

次の日の夕方、ボッカ書店に行った。ジャコモも私も少し慣れてきてリラックスしている。もしかしたら私がそう感じただけかも知れないが、ジャコモはゆったりとした態度で、おもむろに切り出した。

「ここで展覧会をしませんか。あなたの本が出るので、その出版記念として。と言っても書店なので、上下のショーウィンドーと店内に絵を飾り、出版した本もウィンドーに展示し店内で販売します」

目を輝かせて語るジャコモ。彼は昨日の段階でそんなことまで考えていたのか。出版の話も嬉しかったが、展覧会の提案には心の底から驚いた。ミラノ大聖堂《ドゥオモ》の前、ガレリアの中での出版記念展。私はそんな大それたことを望んではいなかったし、あり得ないような空想をしていた訳でもなかった。

偉大な彫刻家たちが野外展を開いてきたこの大聖堂《ドゥオモ》の前に、ポモドーロやカステッラーニが並ぶこのウィンドーに自分の絵が飾られる日が来るのだろうか。

本を深く愛しているジャコモは、流行とは無縁な人である。彼は自分の目で見たものしか信じないし、自分の脳に蓄積された知識と知性だけを信じて生きている。後日ある時、彼は『NETSUKE（根付）』という本を出版し、出たばかりの一冊を私にプレゼントしてくれた。江戸時代の根付を分析的に研究した画集で、A４判よりも少し大きく、厚さ五センチもあるハードカバーで箱に入った重量級の一冊である。長くつき合ってきた今でも、たまに意見が衝突し、その頑固な性格に辟易することがあるが、そんな時には『NETSUKE』をプレゼントしてくれた時のジャコモの嬉しそうな顔を思い出すことにしている。複雑な性格ではあるけれど、歴史に残る本を出版するという彼の意思は純粋なものなのだ。
一七七五年創業の現存するイタリア最古の美術書店の、彼は直系の子孫ではない。ジャコモは、ボッカ書店が自らその歴史を閉じようとしていた時に経営権を得て店を再興した。それは彼の野心であり、また同時に、ガレリアに美しい書店を存在させ続けるという彼の夢でもあった。ガレリアはファッションとビジネスという時代の勢いに流され、多くの魅力ある店舗を失ってきたが、ジャコモは芸術と文化の香りをガレリアに留めるためにその生涯をかけている。

展覧会の契約を交わし別れの挨拶をして扉を出ると、灯り始めた照明が建物の壁に装飾の長い影を作っていた。陽はすでに落ち、ガレリアの西の空には深い群青が滲むように広がっていた。

♛

契約から半年後の春、ガレリアのボッカ書店のショーウィンドーに、長さ二メートル三十、百五十号のタブロー《無垢の形 Innocent Form》の新作が展示された。一階（日本の二階）の高い位置に飾られたそれとは別に、地上階のショーウィンドーは展覧会のカタログと出版された本、額装されたセリグラフ（版画）とデッサンが隙間なく飾られ、展覧会が始まった。

私は自分の絵を前にすると同時にミラノ大聖堂《ドゥオモ》を見ていた。展覧会に実感がなく、まるで見知らぬ世界にいるようだった。

キラキラと輝くガレリアのボッカ書店のショーウィンドーの前で私は、まるで大審問官に芸術の真理について問われ試されているような気持ちになって立ち尽くしていた。

それがすべての始まりだった。

← ボッカ書店での出版記念展
Libreria Bocca
［次頁］ガレリア・ヴィットリオ・エマヌエーレII世
Galleria Vittorio Emanuele II

Libreria Bocca
dal 1775
www.libreriabocca.com

ピアーヴェ通り

Viale Piave

路面電車《トラム》9番の並木道

＊ ピアーヴェ通り（Viale Piave）

● メトロポール（Metropol）

乳白色の霧が深く立ち込めて、ミラノの街を覆っている。中央駅《チェントラーレ》始発の9番の路面電車《トラム》は、駅に戻ってくると西口の広場をぐるりと一周回って反転し、しばらく停車したあと、時間を調整して出発する。近くに住むジュエリーデザイナー、マリーナ・チャネッティを訪ね、話を終えてアパートを出ると、信号のない道路の向こうにはいつも路面電車《トラム》が停まっているので、私は運転手に分かるように手を振りながら電車に駆け込み定期券を読み取り機にあてる。するとなぜか電車は「チン！」といって、すぐに動き始めるのだった。

路面電車《トラム》9番はミラノの城壁の外側を北から東に時計回りに進み、共和国広場《レプッブリカ》、ヴェネツィア門、五日間広場《チンクエジョルーナ》、ローマ門《ポルタ ロマーナ》、ボッコーニ大学前を通った後、最後は大運河の脇を過ぎてジェノヴァ門《ポルタ ジェノヴァ》に至る路線である。中央駅を出た路面電車《トラム》は停留所をいくつか過ぎると共和国広場に向かって左に曲がり、さらにふたつ目のヴェネツィア門を過ぎると右に大きく曲がってピアーヴェ通りに入っていく。

ピアーヴェ通りは高さ二十メートルを超える大木の連なる並木道で、背の高い樹の両脇に路面電車《トラム》の線路が延び、その横の狭い車線を自動車とバイクが押し合うように走る風景はミラノそのものである。

冬の日、少年が犬を連れて散歩している街は深い霧に覆われ真っ白で、ムナーリの絵本の中にいるようだ。犬はレールの隙間の草むらに鼻をつっこんでくんくんと匂いを嗅ぎながら動き回る。霧が濃い日の視界はわずか五メートルほどしかなく、少年は愛犬のフィーゴに大きな声で言い聞かせながらレールから離れて歩こうとするが、犬は中々言うことを聞かない。

「危ない！　フィーゴ」

霧の中から突然路面電車《トラム》が現れる。鳴り響く警笛。車体がレールをきしませて迫って来る。少年は思い切りリードを引いて緩衝帯の真ん中に逃げ込むが、路面電車《トラム》の窓に見える運転士の顔は怒りで真っ赤だ。

遠目にはのんびりと走っているように見える路面電車《トラム》は間近まで来ると意外なほどのスピードで、考え事をしながら線路を渡っていて何度もはねられそうになった私は、その度に路面電車《トラム》に轢かれて亡くなったバルセロナの建築家ガウディのことを思い出す。記録を読むと意外な感じがする彼の死は、路面電車《トラム》のスピードを目の前にすると、紛れもない実感である。

＊

ブルーノ・ムナーリの絵本の中は白い霧に覆われたミラノの街である。半透明のトレーシングペーパーが「霧」に置き換えられているので、頁の表と裏で絵が逆になる。左の空に向かって飛ぶ鳥は、次の頁で右に旋回し、絵本を見ている私たちに向かって走って来る路線バスの黒いシルエットは、頁を繰ると背を向けて、乗用車もスポーツカーもバイクもすべての乗物が霧の中から現れては、また霧の中に消えてしまう。

絵本はやがて霧の街を抜け、サーカス小屋に到着する。モノクロームの世界は一転して光あふれるサーカスに変わり、登場する坊主頭のチューバ吹き、ピエロと黒猫、力自慢の筋肉男、亀の甲羅の上の自転車こぎ、ジャグリング、本当の船が浮かぶ水槽と魚、檻の中の黒い動物と無関心なライオン、矢を射るインディアンと標的、ドラムの上に留まったために撥に叩かれそうな可哀想な蝿、色々な曲芸の頁が続き、息つく暇もない展開とその複雑な仕掛けに心奪われているとサーカスは突然説明もなく終わる。公園を通って家に帰ろう……犬を連れた少年と共に、絵本の頁はふたたび深い霧の中に入っていく。

「早く電話をくれれば良かったのに」

ブレラ美術アカデミーを出た友人の紹介で初めて会った日、ムナーリさんにそう言われた。胸が張り裂けそうに緊張して訪れたアトリエだったが、ムナーリさんは気さくで飾らない人だった。

「日本の方は漢字を使いますね」

「はい」

「これは『木』という字になっていますか」

「はい、すべて『木』に見えます」

「元々象形から始まった文字をね、もう一度絵にもどすことをやってみたんだけど……どう思いますか？」

アトリエの作業机の上に並んでいるデッサンを前にして子どものように無邪気で嬉しそうに話すマエストロは、その時八十代に入っていた。絵画、彫刻、グラフィック、絵本、プロダクト、教育――その仕事の多様性に、何かの職業で彼を呼ぶことはできない。同じように横断的な仕事を残したダ・ヴィンチとの違いは重量感だけである。ダ・ヴィンチは重く、ムナーリは軽い。しかし、その軽さと言うのは彼の仕事にとって必須のものだ。私たちはその可愛らしさと軽妙さに魅かれて、構えることなくムナーリの世界に入門する。


文字のない本。『プレ・リブリ（本以前）』と名付けられた十二冊セットの本には文字がない。開くと突然羽毛がふわっと立ち上がり、棒人間がダイビングするように倒れ、一本の毛糸が頁と頁の間を貫通する。それぞれに色々な構造があり、まだ文字の読めない幼い子どもたちは胸をときめかせてその一頁をめくる。触ったり、覗いたり、離れたり、眺めたりする。まるで寝転がって大好きな絵本を読む年上の子どもたちのように、ちいさな手でその本を開く。

元々象形文字である「木」を、もう一度絵に戻すことの意味がよく分からなかった。そんなことをしてどうするのかとも感じた。マエストロの真意を理解したと思えたのは、それから十年も経った後のことである。白川静を読んでいて、文字の成り立ちの解釈が必ずしもひとつではないことを知り、自分で象形文字の略画を描いてみた。私たち日本人は教科書で象形文字のいくつかを教わっているが、それらのほとんどは殷時代の甲骨文や金文の分かりやすい象形を基にしている。鳥や山や川、紀元前千数百年の亀の甲羅や鹿の骨に残された文字が象形の原型だと私たちはかつて学んだ。だから私たちは、若い頃からその文字を意味として読んでいる。私たちにとって漢字はそのままで認識である。しかし、ムナーリさんにとってはそうではない。彼ら非漢字文化の国の人たちは、子どもの時から一度も文字そのものに意味があると考えたことがない。彼らにとってアルファベットは言語を形成する音に過ぎない。

初めて漢字と出会った日の、「木」という文字が木の形から作られてきたのだというムナーリさんの驚きを想像し、彼の心に分け入ってみた。教科書で学んだ漢字の変化の歴史を忘れ、これまでの解釈を一切調べずに「享」を解体して絵を描いた。「享」とは「廓」。城郭を意味するこの文字が「高＋一＋口＋丁」の組み合わせで書かれた異体字を見つけ、

「高」を城に「一」を掘に「口」を街区にし、「丁」を門と外につながる道にして絵を描いた。そうして私のノートにひとつの城郭都市が描かれた。遠くに高くそびえる城とその前の堀。格子状に民家が立ち並び、南の端に門がある。扉を開けると外につながる一本の道。そうだったのか。革表紙のノートを象形文字遊びの専用にして思いつくままに描き続けるうちに、マエストロの思いに近づいたと感じるようになった。それは、アカデミックな学問のように明白な事実と証拠だけで過去を論証するのとは違い、元々ものの形から始まった表意文字に、未来の私たちから新たな表現のふくらみを与えてみるということである。その時私たちは、これまでとはまったく別の道を通って漢字に触れたように感じるだろう。それはムナーリさんによって導かれた不思議な体験である。

ムナーリさんの残したすべての仕事に共通のある傾向、それは認識が鑑賞者の側に大きく委ねられていて、しかも想像の奥行きが深いということである。確かに芸術とはそういうものかも知れない。しかし、自分の中にある結論を直截な形で表そうとする人たちのはるか遠くにいるマエストロは、茶目っ気たっぷりに話しかけてくる。

「これは『木』を日本や中国の人のように太い筆で描いたもの。習字に見えるかな？それからこちらは『フォレスト（森）』。『木』をたくさん描くと『森』になるんだよね。黄色い光も描いたり、このデカルカマニーは『木』の形だけど影に見えるね。うふふ」

＊

ムナーリさんとは生涯にわずか三度の出会いだった。ある日倒れて入院したと聞き、もう一度会いたいと願ったが叶わず、私はダネーゼさんにお見舞いの手紙を託し、教え子のモモコが作った絵本を添えた。その頃、病の床にあるマエストロに会えるのは生涯の盟友であるダネーゼさんだけになっており、別れの時が迫っていると感じた。

ムナーリさんの表現に倣って作られた可愛い絵本。九歳のモモコはしかしトレーシングペーパーの「霧」を「たき火の煙」に置き換えて芋を焼き、切り抜いた穴から次の頁が覗ける仕掛けを花と雲にして重ね合わせ、飛び出すカードの波は二重になっていて開くたびに微かに動く。モモコは思いつくありとあらゆる可能性を試したちいさなカードを何冊も作って、季節の移り変わりを表現した絵本に貼り込んだあと、風景を描き加えてそれを完成した。

「マエストロ。あなたの魂は確実に私に伝わり、いま九歳の少女の中にこのような形で生きています」

マエストロは手紙とモモコの絵本を手に取り「良いね」と言って微笑んだと、ダネーゼさんは私に話してくれた。

一九九八年九月、マエストロはそのまま回復することもなく静かに逝った。私の心には彼から受け取った多くのものが刻印されて残り、健やかに成長したモモコはその後一人でこつこつと世界を見て歩いたあと、建築の道に進んでいった。

*

ピアーヴェ通りの並木道にもやがて季節は移り、三月の末か四月初めのある日、強い風に乗ってあたり一面に白い花が舞うと、肌寒い日々に別れを告げてもう春の盛りだ。空は明るく、街はどんどん暖かくなり、ジャケットを脱ぎ捨てて歩いている自分に気づくころには、ミラノに夏がやって来る。

私たちはかつてこの並木道に住んでいた。アパートの隣には「METROPOL（メトロポール）」という映画館があり、道路に面した玄関扉の上は、高さ五メートル、幅二十メートルの全面がアルミの縦ストライプになっていて、アルミ建材の流行っていたミッドセンチュリーの典型ともいうべき意匠のその上に、堂々としたローマン体のタイプフェイスで「METROPOL」という文字が載っている。

映画館は長い間営業せずに閉じられていて、扉の前の軒下が路上生活者の雨宿り場所となり、アルミの「METROPOL」は埃にまみれ汚れていた。毎日アパートの玄関を一歩出ると、閉じられた薄暗い映画館がミラノという名前が持つ華やかな印象とは程遠い空気を醸し出していて、私にとっては陰のあるその雰囲気と感覚が、ミラノそのものなのであった。

　ある日、長く借りていたアパートが売却されてそこに居られなくなり、私たちは現在のアパートに移ることになった。売却後何になるのか興味深々で時折見に行くのだが、アパートは隣の映画館と一緒にシートに覆われて中の様子が全くわからず、随分長い時間が経った。

　そんなある日シートがはずされ、中の建物が姿を現した。私たちの住んでいた古いアパートは、一転して白と黒のモノトーンで四角い積木を積み上げたような形状の現代建築になり、映画館だった隣の建物のアルミ製「METROPOL」は綺麗に磨き上げられて美しく変貌した。「METROPOL」の扉は重厚で重々しいものになり、その前には黒いスーツを着た背の高い男が立っていて、建築作業員と什器を搬入する業者をチェックしている。中を覗くと、玄関ホールにはヴェネツィアグラスのシャンデリアが眩しいばかりに輝いていた。

当初はまったく見当もつかなかったそれがドルチェ&ガッバーナのファッションショー専用会場だと知ったのは少しあとのことだ。外装ができあがってからも内装の工事が続いていたが、ファッションシーズンの到来を告げる秋の初め、にわかにスーツ姿の男たちの数が増え、モデルやデザイナー風の人間が出入りするようになる頃には建物は完成してい
た。九月の第二週にはファッションウィークがやって来る。その準備が始まっているのだ。

ヴァカンスの明ける九月の第一週は、休んでいた店のシャッターが開き、日焼けした人たちが嬉しそうに働き始める週である。携帯ショップ・チャストの店主、ロザンナ。美人で皮肉屋の彼女も、この時だけは上機嫌で、思わず「何があったの?」と訊きたくなるほどの明るい笑顔で接してくれる。携帯にカリカーレ（チャージ）してもらいながら、

「ボンジョールノ。いいヴァカンスだった?」

「ええ、とても。山にいて、あと海に少しね。コージとカズエは日本にいたの?」

「うん、そうだね。店はいつ開けたの?」「昨日から」

「マルコは?」「向こうの店にヴィッキーといて、明日は来るわ」

などと、本人の夏休みと息子夫妻・マルコとヴィクトリアのことを話すのがお決まりの挨拶である。

かつて七月の第四週から九月の第一週まで一ヶ月半の休みを取っていた彼らイタリア人は「退屈で時間を持て余す」と話すが、だからといって、仕事に復帰することが楽しいというような日本人的な感覚は持ち合わせていない。体を休められたということと、仕事ができるということのどちらがどうということはできないし、分析することにも興味がない。「退屈で時間を持て余し」た彼らは、そうして嬉しそうに仕事を始めるのである。

八月の最終日曜日、ナヴィリオの運河沿いで開かれる蚤の市には、夏の終わりの倦怠感が漂う。出店はまだ十分ではなく、ブレーシャ（ミラノの東八十キロメートルの街）の額屋の親父はいるが、ミッドセンチュリーのアクセサリー店のカテリーナとママはヴァカンスから戻っていない。十七世紀アフリカ・コンゴの彫刻について教えてくれる骨董店の女将はいないが、貴族が使っていた繊細なヴェネツィアレースのテーブルクロスを扱っている親子はいつもの場所にいる、という風に。

ナヴィリオの骨董市の奥は深い。新興の店を含めると数百店舗という大きな規模で、どれが本物なのかを見極めるのは難しい。私はそこに何年も通い続けて、やっと数軒の親しい店と出会えた。知識の不足は聞いて学ぶ。彼らはその道のプロである。アフリカの古い木彫について美術館の展示記録をひもとき、ブラーノ島（ヴェネツィアの島の名前）のレースの由来について教わる。

夏の終りの蚤の市。気だるい昼下がりに、しかし私は、熱い舗石に次の季節の気配を感じ、親しい友人たちとの再会を待つ気持ちになっている。蚤の市で仲良くなった店の人たちとの出会いは、いつも秋の初めに友人たちと再会する喜びの予告編である。

*

夏は、私にとって厳しい制作の季節である。アトリエに籠り、集中して絵を描く。多くの代表的な作品は夏の制作で生まれた。

毎朝目覚めるとまずアトリエに入り、何も考えずに鉛筆を持ちデッサンを始める。連日の暑さにばててぐったりしている私の身体は、頭が朦朧としていて、何を描いているのかよく分からない。それでも描く。私はどこかにいるが、まだここにはいない。

やがて意識が形になり、制作ノートのページをふと開く。そこには思考の経路が詳細にメモしてあり、かつて自分が書いたものでありながら面白く、夢中になって目で文章を追いかける。

ノートを読み返すこと、それはいつも面白いが、いつまでも面白いわけではない。ある日それは自分にとって何の意味も持たなくなり、ページに貼っていたポストイットをはずす日がやって来る。そうして私は自分の絵が違う次元にさしかかったことを知る。来る日も来る日も繰り返されるそんな行為が、突き放してみれば、胎内で脊椎動物の系統発生をたどる人間の成長と重なって見え、一枚の絵の制作過程が自分の画家としての歩みや、さらには美術の歴史全体とフラクタル（自己相似）な関係になっているのかと考えるが、実際はそうではない。絵がそれまでと異なる次元に入った時、あれほど面白く読んでいたかつての自分の制作過程が全く意味を持たなくなり、私はポストイットをはずす。新しく生まれてくる絵は、それまでの作品とは違う道筋を通って生まれて来る。

ひとりの画家の様式の変遷は、それがたとえどれ程大きな変化を伴っていても、後の世の人々には一貫した画業として認識される。青の時代に憂愁を帯びた人々を描いていたピカソがキュビスムを描き始めた時に、彼の絵を観ている人の間に存在した違和感を私たちは感じない。歴史に刻印された芸術は、時を経て、そのあり方そのものが私たちの認識の中に組み込まれる。だから私たちはピカソの人生を通して彼の画業を見る。彼の意識の変遷は彼の画業の中にあり、後の世の私たちの中にも既に存在している。

しかし、後世ひとりの画家の絵が連続した理念で描かれているように見えることとその時々の制作の工程は、再帰的な自己相似になっていない。少なくとも私の中では、異なる段階に至った時には制作の道筋そのものが違っている。デッサンの仕方、空間の正面性とねじれをどのように捉えるのか、空気を感じる方法、カンバスに絵具を置く手順、構成の過程、仕上げと筆を止める決定。そのすべての道筋がそれまでと違っていることに、描きあがった絵を見て私は初めて気づく。大きく捉えれば様式の色も形も繋がって見えるのに、私はこれまでと違う道を通らなければこの絵が描けなかった。

フラクタルに系統発生を繰り返して描いている訳ではないのに、なぜ作品の変遷は連続した流れのように見えるのか。

様式が繋がって見えるのになぜ違う道を通らなければいけなかったのか。

そしてその道を、私は一体どのようにして見つけたのだろうか。

*

九月になるとミラノはにわかに活気づく。やっと再開したカフェ・シッシも、最初は閑散としているが日を追って人が増え、バリスタのダミッツだけでは間に合わなくて、最近はカフェを淹れなくなった店主のジックがマシンの前に立ち、子どもたち三人全員とシニョーラのアレッサンドラも揃う頃には、多くの客がバンコ（カウンター）を三重に取り巻いている。

第二週にはアパートの近くにある学校でも新学年が始まり、アドリアーナの洗濯店の前

の通りには子どもたちの声が溢れる。イタリアでは親の責任で送り迎えをしなければいけないので、小学校の前は親たちでいっぱいだ。

そんな新しい季節の中、ミラノ・ファッションウィークが始まる。

美の王国であるイタリアは、ファッションと皮革（靴とバッグ）、スポーツカーとバイク、インテリアと家具、文房具とプロダクトなどのデザインの宝庫である。ミラノでは一年を通じて常に何かのフィエラ（フェア）が行われていて、特に華やかなのが春に開催されるインテリアと家具の「ミラノサローネ」と、秋の「ファッションウィーク」である。

毎年春に行われるミラノサローネは、以前は郊外にあるフィエラ会場で世界各国のバイヤーが集まる見本市に過ぎなかった。しかし年々その規模が拡大し、見本市の本会場に二千以上、フォーリ（アウトサローネ＝場外）でも五百以上の展示会が開かれるようになり、街はバイヤーのみならず、世界中からやって来る新聞・雑誌記者、ライター、建築家やデザイナーとそれらを勉強している学生、一般のファンも含めて数多くの人々で溢れることとなった。有名なメーカーは入場制限をする程の人混みで、新作の家具を見るために何時間も並ばされるが、逆に無名のメーカーは、シャンパンを用意して私たちを迎えてくれる。

長い間たかが椅子ではないかと思っていたが、椅子は美しいと同時に座る道具である。

最初にどこで企画されたかは分からないけれど、現在では多くの美術館で歴史的な椅子に座ることができるようになっていて、それは人が次第に、椅子のデザインとは別にもうひとつの要素である「座る」ことの意味を考えてきた結果に違いない。日本でも、竹橋の近代美術館のロビーにはマリオ・ベッリーニのデザインした革張りの《キャブ》がずらりと並び、岡本太郎《太陽の塔》の横にある国際美術館（現在は中之島）では、剣持勇の丸い「ラタンチェア（籐椅子）」に直接座れるようになっていた。また、ミラノ・トリエンナーレ美術館のカフェでは、各テーブルに異なる著名デザイナーの椅子が置いてあり、私たちは各々好きな椅子を選んでカフェでの時間を過ごすことが出来る。

ミラノ・トリエンナーレ美術館へ行くには、ブレラ美術館とソルフェリーノ通りの間の停留所61番のバスに乗る。カドルナ駅（北駅）を過ぎるとバスはスフォルツェスコ城の公園に沿って走り、城庭の豊かな緑に目を奪われているとあっという間にミラノ・トリエンナーレに到着する。玄関左手の奥に建築家ジオ・ポンティ設計のトッレ・ブランカが見えている、アーチ型ファサードで四角い建築の美術館。ガラスの扉を押して中に入ると高さ十メートルほどもある天井のロビーがまっすぐ奥の突き当たりまで続いている。ここミラノ・トリエンナーレ美術館ではチケットはそれぞれの展示別になっていて、ミュージアムショップとカフェには自由に入ることが出来る。

高い天井、窓から見える豊かな緑、ミュージアムショップに積んである建築写真集やムナーリさんの絵本……静かなカフェで、好きなデザイナーの椅子を選んで座りノートを開くと、午後の時間がゆったりと流れていく。

＊

秋になると、ファッションウィークの準備が慌ただしく始まる。春のサローネと違って専門外なので参加しているつもりは全くないのに、街の騒ぎに時々巻き込まれる。木の葉が少し散り始める中、ピアーヴェ通りに面しているドルチェ&ガッバーナのファッション会場METROPOLは大賑わいだ。搬入の車、各国からの来客、通りを練り歩く細身で背の高いモデルたち。モデルのマネージャーたちは携帯電話でのやりとりに忙しく、METROPOLの入口に立つ黒服の男たちは、人の出入りを厳しくチェックしている。

ピアーヴェ通りの北の角はホテル・ディアナ・マジェスティックである。十九世紀末の風格のある建物が素敵で、宿泊客でもないのによくカフェを飲みに行った。落ち着いた内装と大きなガラス窓の向こうのさりげない庭。腕のいい年配のバリスタと話しながら過ごすひとときが大好きだった。とても静かなホテルだったが、ある日シェラトンが買収してすべてが変わり、多くのファッション関係者がたむろする喧騒と過剰な色彩のホテルに変わってしまった。

ヴェネツィア門の広場の東角のこのあたりは第二次世界大戦で連合軍の空爆を奇跡的に免かれた地域で、一八〇〇年代から一九〇〇年代初頭にかけて建築された、壁面に施された女性像と優美な曲線の石彫が特徴のアール・ヌーヴォー（アルテ・ヌオーヴァ＝リバティ様式とも）の建物が数多く残されている。二次大戦における連合軍の空爆はすさまじく、ミラノの街は破壊され、天井の抜けたミラノ・スカラ座や、バラバラになったダ・ヴィンチの「最後の晩餐」を野積みにした写真が残っているように、この地域が無事だったのはただの偶然に過ぎない。最近では、この辺りから再興広場（ピアッツァ・リソルジメント）の間に点在するアール・ヌーヴォー建築を観るツアーがあって、建築科の学生だけではない、一般の人々がガイドに案内されている光景をしばしば見かけるようになった。どこも例外なく木製の大きな扉の中にはひとつひとつが職人の手作りの鍛鉄製の門扉があり、すべて建物に合わせたアールヌーヴォーのデザインで作られている。

メニューを見ていると「食べてみる？」と訊かれた。ホテル・ディアナ・マジェスティックの角を入った所にある典型的なアール・ヌーヴォーのアパートの一階のリストランテ、トランス・アトランティコで、それが、パスティエラ・ナポレターナの美味しさとの驚きの出会いだった。リコッタチーズとオレンジの香るナポリの名物は、焼き菓子なのにどこかふわっとしている、しっかり重いのに同時にまた軽く抜けるように感じる不思議なケーキで、他に似た例はない。（これを書いている段階で日本にはまだ入っていない。）

高い天井、白いテーブルクロス、中年カメリエーレ（ボーイ）たちのテキパキとした給仕と落ち着いた照明。良心的な値段で、余計な音のない静かなリストランテだったが、サッカーのある日だけは親父さんがレジの横のテレビに見入っていて、室には試合を応援する人たちの歓声が波打つように流れていた。

*

九月の第三週。ミラノではファッションウィークが始まり、街は喧騒の渦に巻き込まれているが、私たちは近所のMETROPOLの他にはその様子を見ることもない。

「出ていらっしゃらないこと？」

昔年の雰囲気のある上品な日本語が携帯から聞こえてくる。チェントロ（街の中心）に出てこないかというエミリアからのお誘いだ。彼女と話していると、しばしば小津の映画の中にいるような気持ちになるが、それは彼女が日本人外交官の妻として六〇年代の東京に暮らしたせいである。夫の母親に教わった日本語はいにしえの空気を映していて、戦前の山の手の生活の匂いそのものである。

フィレンツェの華族の家に生まれたエミリアは、一人の日本人外交官と出会って恋に落ち結ばれた。六〇年代の東京で畳と洋間のある家に住み、八百屋や肉屋に籐の買物かごを下げて通った話が、映像のように目に浮かぶ。イタリア人としてもかなり高貴で美しい彼女が、山の手ことばで八百屋の親父さんと会話している光景は、当時の人々に一体どのように見えていたのだろう。

「ファッションシーズンでございましょ。それで私《わたくし》、とても忙しいのですけど、夕方に取材を終えますので、モンテ・ナポレオーネでアペリティーヴォ（アペリティフ）をご一緒にいかがかしらと思いまして」

イタリア人の言うアペリティフとは、仕事を終えた六時から夕食の八時までの二時間を指している。何年もかかって理解したことだが、集中すると周りが見えなくなる彼らの仕事にはあるリズムと約束がある。カフェをしようと言われたら、カウンターに立って飲むたった三分間のことだ。のんびりしていると「行きましょう」と言われてしまう。それが付き合いの最初である。たとえば彼らの店で出会い、主人と客の付き合いでありながら名前も職業も家族のことも互いに知っている。そういう関係になってさえ、この三分のカフェには中々行きつかない。知り合って長い時間が経ち、ある時「コージ、カフェしない？」と言われる日がやって来る。

その次がランチで、さらに付き合いが進むとアペリティフに誘われる。アペリティフは夕食とは厳密に分けられていて、ワインを飲み、ハムやチーズを食べている途中で夕食に誘われることは絶対にない。アペリティフは友人との時間。夕食は家族や恋人との時間なのである。だから夕食を共にすると言うことは、この国では特別な意味を持っている。彼らに義理の付き合いとしての夕食はない。

エミリアには何度も自宅に夕食に招かれていたので、彼女が「アペリティィーヴォ」と言ったということは、気楽に短い時間会いましょうという意味だとすぐに理解した。「いいですね。モンテ・ナポレオーネのどこに行きましょう」「ジョルジョ・アルマーニの建物をご存知？　その前におりますわ」。夕方支度をして妻と二人でアパートを出た。61番のバスに乗り、カヴール広場で降りて歩くのが最も早い。道が混んでいなければ、バスで十五分、歩いて五分の距離である。

エミリアのご主人は、日本の外交官としてメキシコ合衆国の全権大使を務めた人である。彼はスイス出張中に、突然の交通事故で亡くなった。愛する夫の訃報が彼女にどれほどの衝撃と人生の虚無を感じさせたかを想像することは難しい。それでもエミリアは夫の姓を名乗り続け、残された二人の子どもたちを育て、頻繁に東京の姑を訪れてその最期を見送った。

「コージさん、ご覧になって。窓から大聖堂《ドゥオモ》が見えますわ」

ある日招かれてエミリアのアパートに行った。日々の生活で大聖堂《ドゥオモ》が見えること、それがどれほど重要なことかと話しながら、エミリアは窓辺に誘ってくれる。

窓から見えるミラノ大聖堂《ドゥオモ》。それは、悪い夢のような体験を乗り越えてきた彼女の人生の大きな支えのひとつなのだろうか。フィレンツェに生まれた彼女だが、ミラノでの豊かな思い出が大聖堂《ドゥオモ》の見えるこの風景に重なっているに違いない。左右に大きく広がるパノラマのような景色の中心に建つ大聖堂《ドゥオモ》と尖塔の上の金色のマドンニーナ。右手に、建物の上階部分が大きく張り出した中世の城のようなヴェラスカ・タワーと、高い鐘楼のあるサン・サティィロ教会が並んで見える。


エミリアのアパートにはその後もたびたび招かれているが、いつもその美しさに気持ちが安らぐ。彼女は建築家アンリの内装設計をあれこれ説明してくれる。高い天井と堅い木の床にはイタリアの家具と一緒に紫檀の違い棚や伊万里焼の大皿が置かれていて、壁には江戸時代の屏風がフラットに飾られている部屋である。奥の部屋に向かう廊下の引戸は金箔だが、くどくならずに上手くまとまっている。

「散らかっていてごめんなさい。ちっとも片付きませんの」

ミラノ大聖堂
Duomo di Milano

MARIAE
NASCENTI

エミリアはいつも謝るがそんなふうに感じたことは一度もない。ソファのテーブルは、建築や美術の画集と彼女の仕事であるファッション関係の印刷物が山積みで、それが却って心地よい。カフェとお菓子は、本と本のすき間に置いていただく。

エミリアとは、妻のミラノデビューのリサイタルで初めて出会った。演奏会場のオルソッリーネで突然美しいイタリア女性が近づいてきて挨拶された時はどうしていいかわからずおろおろしたが、妻はただ可笑しそうに笑っていた。それから随分時間が経ち、近頃では中央郵便局の裏からチンクエ・ヴィーエ（五つの通り）を抜ける時、途中にある彼女のアパートのインタフォンを押すようになった。アポイントをとっていないので声だけでと遠慮してみるが、彼女はいつも招き入れてくれて束の間の訪問になってしまう。

*

ファッションウィークの夕方の街は、昼間の喧騒から夜の会食に向かう途中のインターバルである。ひと仕事を終えた人たちがカフェの席を埋め尽くしていて、仕方なくバンコ（カウンター）でワインを飲みながら順番待ちをする。

「お二人のお仕事はいかがでいらっしゃるのかしら」

エミリアのとつとつとした、それでいて優美な日本語は微笑ましい。外交官の妻として、英語、スペイン語、ドイツ語やフランス語を話してきた彼女だが、たとえばドイツ語もこの日本語と同じようなニュアンスで話されているのだろうかと思わず想像してしまう。

彼女の愛らしい日本語に、妻はイタリア語で答え、私はイタリア語と日本語を交えて返事をする。丁寧な社交辞令、しかし、いつも当たり障りのない会話で終るわけではない。エミリアは外交官の夫と、世界中の美しいものを観てきた人なのだ。時折見せる辛辣な意見と正鵠を得た批評に、それもまた彼女の本質であると思い知らされる。

彼女はふいに最近観た展覧会の話を始める。

「何て言ったかしら。金属の椅子を作っているイギリスの作家（ロン・アラッド）をご覧になって？」

「いえ、観ていません」

「私《わたくし》はもう観ましたけど、おふたりが良ければご一緒にいかがかしら（と、手帳を繰りながら）、明後日の四時ね」

青色のメガネを少し持ち上げながら上目遣いに訊かれると、断ることは出来ない。話を詰めるスピード感が彼女がイタリア人であることを思い出させる。ギャラリーの場所を聞き、約束を確認して席を立つ。柔らかなハグと挨拶を交わして彼女は去った。夕闇が深く夜のとばりを降ろし始めてもカフェやバールにはまだ人が溢れさんざめいている。長く暑かった夏の名残りが夜風の中のかすかな冷気に押されて後退し、ミラノに秋がやってくる。

私たちはまだ開けている店のウィンドーを見ながらガレリアに向かった。ファッションウィーク初日のこの日だけ、店は遅くまで営業する。大きな拍手が聞こえてきたのは、スカラ座広場でガレリアに顔を向けた瞬間だった。いやそれは思い違いだ。大聖堂《ドゥオモ》広場の音はまだ遠くに聞こえていて、ガレリアの人々のざわめきと混ざり合っている。何をしているのだろう。一歩一歩近づいていくうちにオーケストラの演奏が始まった。

「ナブッコ！」

心の中で叫んだ曲名、どうしてこんな音楽会がという思い、演奏が始まる瞬間に出会えた幸運、それらのすべてが頭の中に同時に浮かんだ。ＭＩＴＯ（ミトー＝ミラノ・トリノ音楽祭）が始まったのだ。毎年九月に開催されるＭＩＴＯでは多くの劇場だけでなく、街頭の仮説舞台にも名だたるオーケストラが招かれる。

私たちは、前奏曲からやがて合唱に移っていくのを立ち止まって聴いていた。柵で囲まれた席はすでに一杯だが、広場で聴くのは自由で、数え切れないほどの人が大聖堂《ドゥオモ》の前に佇んでいる。「ナブッコ」の中で歌われる「行け、我が想いよ、黄金の翼に乗って」、イタリア人はヴェルディの作曲したこの曲が大好きだ。彼らはそれをある意味で国歌よりも愛していて、サッカースタジアムで肩を組み大合唱する光景を目にすることはよくある。ヴエルディは一八四二年にこのオペラを発表し、彼の作曲家人生で初めて高い評価を得た。旧約聖書の古代バビロニアに題材をとり、紀元前五〇〇年の民族の独立を歌ったこの物語は、発表当時オーストリア帝国ほか列強に支配されていたイタリア人の国家建設への思いと重なり、百七十年を過ぎた後の今日も、彼らの心の奥深くに存在し続けている。この歌は国家独立の象徴でありながらもまた美しい。イタリアオペラの父ヴェルディの旋律は、高貴であると同時に大衆的であり、それはイタリアそのものなのである。

演奏が始まる瞬間に出会えた幸運に私は不思議な気持ちで空を見ていた。屋根のない舞台の音は、広場に流れるとやがて空に昇って消えていく。

「行け《ヴァ》、我が想い《ペンシエロ》よ、黄金《スッラーリ》の翼《ドラーテ》に乗って……おお、失われてしまった私の美しい故郷よ」

私たちは、合唱に合わせて歌詞を口ずさみながら大聖堂《ドゥオモ》広場を横切っていった。月の美しかったこの夜が、その年の秋の始まりとなった。

ラッザーロ・パラッツィ通り
Via Lazzaro Palazzi

編集者ジェラルド・マストゥルッロ

★

ジェラルド・マストゥルッロは、出版社ヴィータ・フェリーチェの編集長である。エッセイに絵を添えた著作がボッカ書店から出版されることになり、社主のジャコモ・ロデッティからジェラルドに会って話をするように言われたのは、《黒松《ピノネーロ》》の第一作を描き上げた二〇一三年の秋のことだ。

ジャコモに、編集室がラッザーロ・パラッツィ通りの奥の方だと聞いて当惑した。通りの入口はコルソ・ブエノス・アイレス（大通り）に面していて、左の角には老舗の帽子店ムティネッリと、入ってすぐ右に馴染みのリストランテ・ダ・オスカルがあるよく知っている通りなのだが、細い道は奥に行くほどにピンクや緑の電球が明滅する店が増え、人種が入り乱れて売人がたむろし、日陰になっている教会裏には放置されたゴミが散乱しどんどん暗くなる。

出版社はその教会裏の四つ辻のすぐ斜め向いにあった〔地図54頁〕。

大きな扉を開けて中に入ると、長い時間を堅い靴底で踏まれて丸みの出た大理石モザイクの玄関である。床全体を帯状の装飾タイルで構成するのはミラノではよく見るスタイルだが、小さな方形の石を組み合せて作るランダムなデザインを誰が考えているのだろうといつも思う。方形だけではない。三角形、あるいは多角形もあり、それらは完全に無作為に感じるようにデザインされていて、規則的なパターンも錯覚を引き起こすモアレもできていない。

色調が微妙に変化し味わいのあるモザイクは、この国の石工たちが伝えてきたさまざまなことを連想させる。


建築の内装を依頼され、壁と柱にヴェネツィア・モザイクを使うことを考えた。そこで友人の建築家フランチェスコ・ジュリーニにモザイクの専門家を教えて欲しいと頼んだら、マルチェッロ・ナポレオーネを紹介してくれた。マルチェッロは石の集散地として有名なヴェローナの石材商である。彼は世界中を飛び回り、数多くの建築にイタリアの石材とモザイクを納めている。日本でも彼は、白浜のホテルのロビーの床を美しく壮大なモザイクで埋め、イタリアから左官職人を伴って壁を塗り上げた。また東京のイタリア料理店には古代シリア風の壁をモザイクで作り、他の仕事も兼ねて何度も日本とイタリアを往復した。

ある日一緒にヴェネツィアのモザイク工房に行くことになり、彼の事務所があるヴェローナに向った。ヴェローナはミラノとヴェネツィアの中間に位置するミラノから列車で二時間の距離である。そこからは彼の車に乗せてもらう。

イタリア人は間違いなく全員がスピード狂である。丁度その頃、深い霧の張った高速道路で玉突き事故があり、十数人の人が亡くなった。霧の中で徐行するという考えが彼らには元々ない。Ｆ１ではフェラーリが圧倒的な回数の優勝を飾っている。スピードはイタリア人にとっては譲ることの出来ない名誉と誇りなのである。マルチェッロもその例外ではなく、見事な運転で私たちを運んでくれた。助手席に座っていた私は、メーターに二百五十キロメートルの表示を見たときはさすがに死を想像し、身がすくんだ。しかし運転技術はこれまでに乗せてもらった誰よりも確かなもので、高速を降りる時はあっという間に四十キロメートルに速度を落としたが、私は減速を全く体感せず、一般道に入ると車は再びスピードを上げ、老婦人がとぼとぼ歩いている横を時速百キロメートルで走っていった。

映画「紅の豚」の舞台はミラノの運河ナヴィリオと、イタリアとバルカン半島に挟まれた海、アドリア海である。主人公、飛行機乗りのマルコは、逝ってしまった友の夢を見ている。それは仲間たちがそれぞれの愛機に乗り、数えきれない複葉機の群れとなって高い空を昇っていく夢である。戦闘機が多種多様な機種、さまざまな色彩で描かれ、個別の思い出を象徴している。映画を観る者はかつてあったであろう出来事を一機一機それぞれの背景に想像する。映画の中で男たちは過ぎていく時間を演じる。それは宮崎駿の感じたイタリアである。

ローマ時代からの数千年の歴史を背負っているからそうなのか、日々の生活をまるで舞台のように生きているからそうなのか、イタリアの友人たちはある日消えるように逝ってしまう。天に昇っていく複葉機は、宮崎駿の感性が把えたイタリアの空気そのものを表現しているのかも知れない。
イタリアは朝も早い。この原稿を書いているカフェ・テアトロは六時半に店が開く。カフェだけではない。その時間には市の清掃車が動き、スーパーマーケットの搬入が始まり、パン屋は店の前を掃いている。
そのスピードが彼らを捉えるのだろうか。彼らは夜明けの星のように消えてゆく。

老舗の額屋グラッシ・カルロのエンリーコは、創業八十年の祝会をした次の年の春に悪性の腫瘍が見つかり、そのまま夏に逝ってしまった。記念パーティの夜、多くの友人に囲まれて本当に嬉しそうだったエンリーコは屈託のない笑顔の記憶を私たちに残してくれたけれど、その死は余りにも早かった。店を継いだ若いマルチェッロとその妻バルバラの間に、エンリーコと入れ替わるように娘のエリカが生まれたが、夫人のラウラの表情からは今も寂しさが消えていない。

医者のピッポは心臓専門医である。自分の体の不調から特発性拡張型心筋症を疑いながらも仕事に忙殺されて何年かが経ち、ついに精密検査の予約をしたその週末の三日前に、往診途中のあぜ道で倒れた。拡張型心筋症は難病である。何の前触れもなくある日心臓が停止する。若年性のものに助かる道はなく心臓移植だけが一縷の望みだが、現実にはドナーが中々見つからなくて、手術が成功しても余命は数年である。年齢のいった患者にはその可能性も殆ど残されていなくて、薬効と自然治癒力を信じて生きるしかないが、大半の人は五年以内に死んでしまう。

ピッポは病気を疑ったその日から、この日が来るのを覚悟していたのだろうか。妻のロセッタは何も知らなかった。ヴェネツィア大学の医学部に通うピッポを子育てをしながら支えたロセッタ。ふたりの間には人生の深い絆があった。正義感の強いピッポは、大病院の部長という立場になっても、動けない高齢者の家を一軒一軒往診して歩いていた。シチリア島のエトナ火山の麓にある町の話である。夜の暗いあぜ道で発見された時には既に手遅れで、施す術はなかった。だからロセッタの悲しみは、ゆきばのない怒りとなって渦巻き、彼女から離れない。命を顧みず、人のために医者としての仕事を全うしたピッポは、家族のことを一体何だと思っていたのか、と。カタニア郊外の町アドラーノに残された夫人ロセッタの、何とも形容することのできない怒りと悲しみに満ちた眼を何度も夢に見る。

彼が逝った夏の終り、墓参のためにシチリアを訪れた。早い秋の訪れで、初冬のように寒い朝だった。妻はロセッタのぶ厚いコートを、私はピッポの革のコートを借りて墓地に向った。まだ八月だというのに吐く息が白かった。坂道を下って少し低くなった土地の、大きな門扉の向こうに墓地があった。立ち並ぶ墓石には高さ六十センチメートルほどの石の彫刻がそれぞれについていて、ひとつは聖母マリアであり、ひとつはキリストであり、またひとつは悲しみに耐える男性像である。どれもしっかりと彫刻されていて職人の質が高い。そうなのか。ミケランジェロはこれら無数の名もない石工たちの向こうにいたのだ。墓に飾られた彫刻の列を見て、不世出の天才もまた歴史と伝統の子どもであり、突然この世に現れたわけではないことを理解した。

　ピッポの墓にも聖母マリアの石彫が立ち、墓石には彼の写真が焼き付けられ、平らな墓碑に彼が生涯愛した詩人、サルバトーレ・クワジーモドの詩が刻まれていた。

太陽の光につらぬかれた大地の
それぞれの魂はただひとり：
そして、すぐ夜になる　（筆者訳）

Ognuno sta solo sul cuor della terra
trafitto da un raggio di sole:
ed è subito sera.

「良い奴はみんな死ぬ」と「紅の豚」のマルコはつぶやきながら酒を飲む。医者のピッポも、額屋のエンリーコも、バリスタのウーノも、みんな夜明けの星のように逝ってしまった。

★

モザイク工房はヴェネツィアの郊外にあり、広々とした土地に天井の高い四角い建物がコの字型に建っていた。幅のある廊下の片側にガランとした部屋が次々に続いて並んでいる。ここは熟練の職人が若い職人を育てる養成所であり、研究施設であり、壁にさまざまな作例が飾られたモザイクの学校なのである。

モザイクの制作現場を初めて見た。四メートル四方の大テーブルを取り囲む二十名ほどの若い研修生たちが、平たい下描きの上に適正を考えながら小さなガラスをひとつひとつ置いていく、気の遠くなるような作業である。しかもガラスはムラーノ島の工場から三十センチ角ほどの大きな塊で運ばれていて、それを鑿と金槌で砕いて一センチくらいのサイズにしなければいけない。下絵の描かれたメッシュの生地にモザイクを接着し、巻いて送ることをその時に知った。考えてみればそれは当然のことである。職人や作家がモザイクを壁に直接貼っていくのは非現実的で不可能なことだから。

ストックは八百色ある。百平米程の部屋一杯、高さ三メートルの棚にぎっしり並べられたガラスの塊。それぞれの箱には番号が打ってあり、対応した見本が一覧表になっている。八百色という数は聞くとたくさんに感じるが、基本色四十八色で割り、それぞれに彩度と明度の変化をつけると、作れる中間色はわずかである。

「マルチェッロ、絵を描くには色相が足りなくて少し難しいね」

「コージ、心配しないで。八百色それぞれにヴァリエーションが十色あって、実際には八千色作ることができるから。ただここには置けないのでね」

私は頭の中で八千色のヴェネツィア・ガラスを想像した。

イタリアの教会の門扉の上部に飾られている絵はモザイクである。モザイクは大理石などの石とヴェネツィアのムラーノ島のガラスで作られる。ガラスの色彩は鉱物顔料であり、金色は金箔を溶着して作る。それらは千年単位で劣化することはなく、その輝きを失わない。「コージの絵でモザイクを試作するから何か置いていってね」と言われて版画を数枚預けることにした。三ヶ月後、私の作品はモザイクとしてできあがってきたが、残念なことにどれも使えないものだった。私が勘違いしていたのだ。モザイクは写真的再現を目指してはいけない。美しいモザイクは曲線に沿った升目のように作るのではなく、モネの「睡蓮」のように、近くで見ると形をなしていない程に飛ばして描かなければいけない。

そのことをはっきりとした希望として伝えておくべきだった。

晩年、ほとんど視力を失ったモネは、離れては自分の絵を見ることができなかった。しかしモネの「睡蓮」はある距離をおいて見るのが素晴らしい。ではモネは、カンバスに接触する近さでしか描けなかったというのに、どのようにしてあの絵の完成を想像していたのだろうか。

画家はその修練の中でモティーフに多重な見方を与えて絵を描いている。テーブルに置かれたひとつの果物。眼を細めればコントラストが強くなり、光と陰を捉えることができる。しかし、眼を見開けば逆に光と陰の調子は弱くなり、表面の色の変化や傷や腐敗といったディテールがはっきりと見えて来る。画学生は初歩の段階においてさえ、そのふたつを同時に描くことを要求される。まして熟成と共にその要素は増えていき、画家の眼と手と頭は、行き来する多重な思考の中で忙しい。モネは長い経験から、多重な見方で描かれた描写がどのように見えるかを知っていたが、実際には絵を見ていない。

ではは私たちは、本当は画家の描いた何を見ているのか。

イタリア中部山岳地帯、オルヴィエートの街の丘に立つ大聖堂《ドウオモ》のモザイクは素晴らしい。あるいはミラノ・ガレリアの入口にある老舗のカフェ、ズッカのモザイクも。

上質なモザイクには多重な視線が同時に存在している。近づけば近づくほど、何が描いてあるのか、職人がどのようにして色を選別したのか分からない程の複雑な感覚で作られたモザイクはバリスタたちの背後で見事な花の連なりになっていて、私はいつもズッカのカウンターでカフェをしながらその壁を眺めている。

★

編集室でジェラルドは待っていた。中庭の扉の内側では数多くの書籍の制作が並行して進められていて、編集者たちは皆忙しい。ヴィータ・フェリーチェはギリシャ、ラテン文学を中心に本を出している出版社である。若い男性編集者のマルコと校訂者の女性ジャンナに挨拶をして応接室に入ると、そこは天井まで本の並ぶインクの匂いの漂う暗い部屋である。

勧められたカフェを飲みながらインクとエスプレッソの香りが混じり合う部屋で待っていると、主催者であるボッカ書店社主のジャコモ・ロデッティがやって来た。全員が揃うと、いきなりアップテンポに編集会議が始まる。この国の仕事は速い。意見を突き合せるまでに個人で充分に考え抜いておかなければ、話の場では到底ついていけない。一つひとつが明快に決まり、全体の形が見えて来る。

話のあった年の翌春に書き始め、一年かかってやっとここまで来た。翻訳者のスザンナ・マリーノとはその都度詳細なやりとりをくり返し、細部を詰めるために会って話を続けた。中央駅のカフェ・モッタで長い時は五時間もかけた話の内容は、時制、文脈、単語である。日本語文では文中の時制は必ずしも一致しない。過去も未来の出来事も、現在形で書くことは頻繁におきる。イタリア人はそのことに首をかしげるが、しかし、日本語の時制の不一致に対する疑問はそれ自体がおかしい。過去のことを現在形で書くことによって、話者は読者をその情景の中に誘っているのであって、過ぎ去った事実として語っている訳ではない。日本語文で過去と未来に混ぜて書かれている現在は、時に情景描写であり、挿話であり、文意の解説である。それはイタリア語文でも起きることだが、日本語文では連続して書かれていることが彼らを混乱させる。

文脈は、時に主格が省略され目的格が入れ替わるために混乱し、単語の置き換えによる象徴的な表現は、歴史的な背景によってニュアンスが異なり通じない。

「……長い間学び続けて、私の『美意識の庭』は随分広くなったけれど、その庭をくまなく渉猟し尽つくしても、所詮はそこまでなのである。そのことの為に、精神と肉体のすべてを使い果たして倒れても、残された絵には、硬く小さい石のような美が漂うばかりで

Mario Luzi AA.VV.
Vola alta, parola, 1994
Twelve poems by Mario Luzi and forewords by Liliana Cavani and Massimo Cacciari, with twelve original engravings of various artists (here reproduced) plus a cover alto-rilievo by Giuseppe Maraniello. All copies numbered and signed by the Artists.
Koji Yamamoto
Un'Altra Natura
milano
FAUSTO MELOTTI
TRAPPOLANDO
HIRO
JOCK STURGES RADIANT IDENTITIES
108 PORTRAITS
GUS VAN SANT
PATRICK DEMARCHELIER
PHOTOGRAPHS
ERWIN
WURM
I
LOVE
MY
TIME
I
DON'T
LIKE
MY
TIME
LUXARDO
A Second Decade of Guess Images
1991 to 2001
Rotella
1944-1961

あると知った」(Un'Altra Natura, 2015, edizioni Bocca)

「『硬く』はおかしいわ。『美が硬い石のよう』という表現にすごく違和感があるの」とスザンナが言う。

「だからさ、スザンナ、それは隠喩《メタファ》だから」

「分かっているけど、ドゥーロ(duro=堅牢な、鈍い、厳格な)はどうしても変。何かに換えられないかしら」

ふたりで色々な単語を嵌めてみて、一時間後にやっと決まった。

「リジド(rigido=堅い、厳格な、硬直した)はどうかな?」

「そうね。うーん、そう、それがいいわ!」

そのようにしてひとつの単語を当てはめるのにも多くの時間が費され、結局翻訳作業は七ヶ月かかってやっと終わった。

ジェラルドは美しい装幀の本を作ってくれた。図版の位置、文字組みと周囲の余白、そのすべてがヨーロッパのタイポグラフィの伝統に沿っていて、私の感覚の中にはないものだ。フォントの変化が本に微妙な揺らぎを与え、書籍の香りがする。嬉しい。その無条件な嬉しさは、絵を描き上げた喜びとはまた別のものであると感じた。個展の搬入展示を終

ボッカ書店のウィンドーに飾られた著作
Libreria Bocca

えた夜、私たち画家はひととき解放される。たとえ明日からの毎日を有形、無形の批判にさらされて送るとしても、その日だけは自由なのだ。しかしそのことと本の出版は違っていた。包まれた表現のすべてを手のひらに乗せているという、この感覚は何だろう。表紙の手触り、頁を開いた時にインクの匂いが流れ、連なる文字が世界を追っていく。それはジャコモとジェラルドが私にくれた最高の贈り物であった。

★

出版記念パーティの日、ガレリアのボッカ書店では着々と準備が進んでいた。プロセッコ（発泡の白ワイン）とネーロ・ダーヴォラ（シチリア原産の赤ワイン）。巻寿司とパルミジャーノチーズのビスケット。リストランテ・ガット・ロッソの主人アンドレアが純銀製のワインクーラーを用意してくれ、大きな植物模様の器の氷の中にワインの瓶が寝かされて、ボッカ書店のデスクの上に飾られた。ガット・ロッソにケイタリングを依頼したのだが、人手が足りないことを理由に断られた。主人のアンドレアはそのことのお詫びに気を遣い、純銀のワインクーラーを貸してくれただけでなく、「氷はいくらでも持っていってね」と言ってくれる。

印刷所から本が届かない。編集長のジェラルドの携帯に何度かけてもつながらなくて、パーティの始まる七時が刻々近づいてくる。六時四十分、業を煮やした妻が出版社ヴィータ・フェリーチェにタクシーで向うことにした。その時、ジェラルドが本を抱えてやって来た。バイクで運んでいた為に携帯に出られなかったのだと言う。やっと間に合った。

続々と人が集まり、書店の外のガレリアにまで客があふれて、パーティの時間がやって来た。ボッカ出版社主のジャコモは珍しくネクタイとジャケット姿である。著者である私の挨拶。感謝の言葉でジャコモを紹介すると大きな拍手があり、ジャコモが話し始める。

みなさん、『知の森』（著作の中でボッカ書店を表現した言葉）にようこそ。本日は画家、ヤマモト・コージ氏のエッセイ『もうひとつの《ウナアルトゥラ》自然《ナトゥーラ》』の出版記念パーティです。

私は、彫刻家ローラ・ジーグラーと彼女の夫である指揮者ヘルベルト・ハントの出会いのように、偶然ヤマモトに出会いました。最初は共通の言語さえ持たなかった私たちの友情の最も新しい証は、ジェラルド・マストゥルッロによって編集され、ミラノ万博の年に出版されるこの本です。

頑固で無口であり、芸術的研究についての活発な議論に代わる能力があり、忠実で寛大で誠実で思慮深く、私が刺激を受けた強い性格の友人である彼は、本物の芸術家です。……最初はイタリア語を話せなかったヤマモトは粘り強く武士のように言語を学び理解して、画家としての豊かな道を歩いてきました。……その仕事はこの小さな一冊の『もうひとつ《ウナアルトゥラ》の自然《ナトゥーラ》』で最高潮に達しています。……

ジャコモの修辞に満ちた表現に出席者は神妙に聞き入り、挨拶が続く。

そうして長い夜が始まった。

ヴィスコンティ・ディ・モドローネ通り
Via Uberto Visconti di Modrone

映画監督ルキーノ・ヴィスコンティと
ジャン・ガレアッツォ・ヴィスコンティ

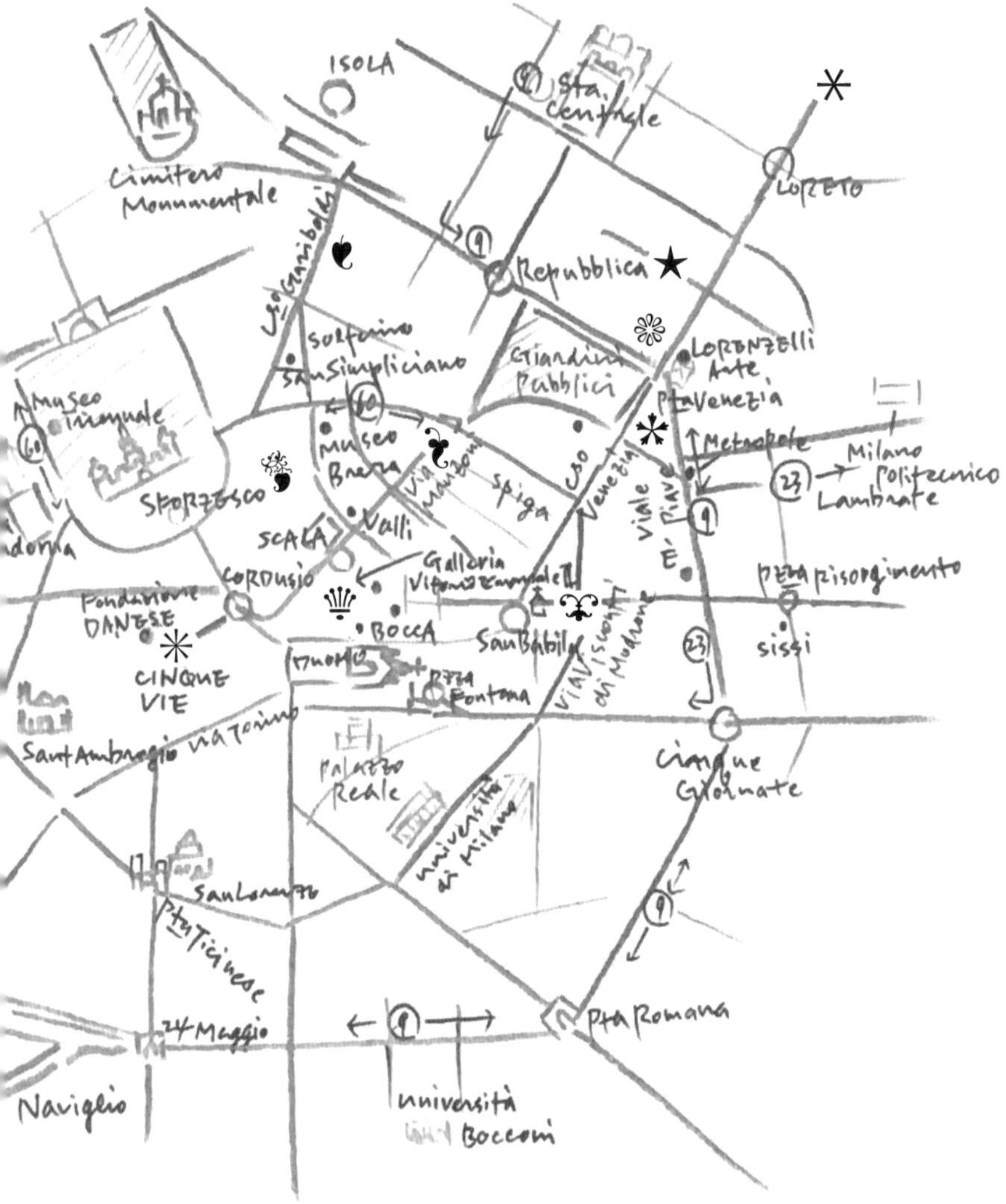

ヴィスコンティ・ディ・モドローネ通り Via Uberto Visconti di Modrone

ミラノの扉の奥には深い森がある。玄関扉の向こうにはさらに鉄の扉があり、その先は街中であるとは思えないほどの鬱蒼とした森である。

大聖堂《ドゥオモ》から放射状に広がるミラノの街は、いくつかの環状道路に囲まれている。最も内側の環状道路は、西の起点であるスフォルツェスコ城から時計回りに、ブレラ美術館、カヴール広場を経て東に向かい、時計回りと反対に進む道は、聖アンブロージョ《サンタンブロージョ》教会から聖《サン》ロレンツォ大聖堂公園の脇を抜け、ミラノ大学を結んでさらに北上する。

その一本外側は、古い城壁の跡に沿ってローマやヴェネツィアに向かう門をつないでいるふたつ目の大きな環状道路である。ミラノではこの城壁の内側をチェントロ（中心）と呼んでいて、許可証のない車はこれより中には入れない。

ミラノ領主であったヴィスコンティ家の邸宅は、西に位置するスフォルツェスコ城と向き合う形で内側の環状道路の東に建っている。通りの名称は、屋敷の南側でヴィスコンティ・ディ・モドローネにかわり、十三世紀から続く直系当主のジャン・ガレアッツォ氏は現在もそこに居住している。

屋敷の玄関扉の右脇にある受付でコンシェルジュの女性に用件を伝えて中に入ると、テニスコート程の広い空間に車が何台か駐車している。彼女の指示に従ってその空間を突っ切り、正面の扉を開けて建物の中に入ると、ホールの突き当たりの天井までの全面に張られたガラス扉の向こうに森があった。

建物の外はミラノの中心街。94番のバスが走るヴィスコンティ・ディ・モドローネ通りは交通量の多い幹線道で排気ガスと騒音に満ちているというのに、屋敷の中庭に都会の喧騒はまったくなかった。

「ボンジョールノ」

声をかけられ振り向いた。若い秘書にジャン・ガレアッツォ氏とアポイントが取れていることを伝えると、伺っていますと言われて奥に通される。高い天井にフレスコ画の描かれた部屋をいくつか通ってジャン・ガレアッツォ氏の執務室に向かう途中、すべての部屋には中庭に面してガラス窓があり、私たちは左手に森を見ながら歩いていった。

その前日、大聖堂《オテル・ドゥオモ》ホテルの隣のカフェ、キッコ・ドーロのフランコから連絡があった。

LEONARDO

以前から「王子様を紹介するから時間を合わせて来て欲しい」と言われていたが、「王子様」が誰のことなのかよく分からず、しばらくの間、妻と首を傾げて謎解きをしていた。

フランコの言う「王子様」とはミラノ領主ヴィスコンティ家のジャン・ガレアッツォ氏のことだったのだが、中世の領主の家系がいまだに継承されているとは考えたこともなく、私にとって彼は別の世界の人間である。

「初めまして。ジャン・ガレアッツォ・ヴィスコンティです」

ヴィスコンティ家の当主は三十代の半ばか後半、黒いカシミアコートを着て背が高く、私たちを見ながら静かに微笑んだ。私たちは挨拶を返し、握手のために手を差し出した。彼は指の先だけを軽く合わせる貴族の仕方で握手を返してくれた。

「美しい庭ですね」

「どうぞ遠慮なさらずに庭に出てみてください」

森を見ながらジャン・ガレアッツォ氏の執務室に到着した私たちは、手を止めて立ち上がった彼に、自宅に招いてもらった礼を言って挨拶を交わした。

スカラ広場のダ・ヴィンチ像
Da Vinci

ヴィスコンティ・ディ・モドローネ通り
Via Uberto Visconti di Modrone

美しい庭を褒めたら外に出ることを勧められたので、言葉に甘えてガラスの扉を開け、大理石タイルのテラスを踏んで庭に出る。外界の喧騒から隔絶されたその空間では、深い森の中にリスがいて鳥がさえずり、百メートルも先に見える噴水に跳ねる微かな水の音までが聞こえてくるようであった。

濃い緑はロンドンやマドリードといった欧州の街中には数多くあるが、鬱蒼とした森に漂う何かが違う。南国のむせかえるような空気が少しだけ残されている跡のようなもの、誰かが立ち去った後に残る気配のようなもの。

ロンドンのハイドパークもマドリードのレティロ公園も森というよりは美しい公園であり、何の気配も存在しない。しかしミラノの街を歩いていて立ち寄ることのできるいくつかの庭には、単に美しい公園とは言えない何かが存在している。ミラノの湿度が高いためなのか、あるいは樹の種類や剪定の所為なのか、その理由がどこかにあるような気がして、私は石のベンチに座っていつもそのことを考える。

修道院の中庭――ガリバルディ通りからソルフェリーノに抜ける道の途中にある聖《サン》シンプリチャーノ教会は、ロマネスクと他の時代の折衷様式で建てられているが、最初に建てられたのは紀元三〇〇年代である。まだメディオラヌム（中原）と呼ばれていたミラノは、その当時ローマ帝国の西の首都であった。

教会の書店で宗教美術の本を眺めてから奥に向かう日もあり、直接建物の側面にある扉を使う日もあるが、いずれにしても受付の女性に挨拶をしなければ修道院には入れない。受付の横のガラス扉を開けると、そこはいきなり修道院の庭である。一辺が五十メートル以上ある四角い大回廊《キオストロ》の一階（日本の二階）は、壁の内側一面に聖人のレリーフが彫刻されて連なり、厚い壁に阻まれて外界の物音は聞こえない。中庭には種々の薬草に混じって真っ赤な薔薇が咲き、女子学生がひとりで静かに本を読んでいる。

修道院の中庭は、四方に司祭室、写字室《スクリプトリウム》、聖務室、就寝室があり、教会施設との中継点になっている筈だが、その日も私と学生の他には誰もいなくて、ただひっそりと、四角く切り取られた空の上を午後の陽光が過ぎていった。


「ちいさな星たち《ステッリーネ》」と名付けられた施設は、マジェンタ通りにある間口二百メートルの素っ気ない建物で、入口が三ヶ所あり、それぞれの扉に合わせた三つの大きな中庭は現代彫刻が点々と置かれてシンメトリックに造園され、いかにも高級オフィスといった雰囲気である。その中庭を囲む幅八メートルの回り廊下では時折種々のイベントが開催される。

ホテル、美術館、ギャラリー、ヨーロッパユニオン（ＥＵ）と各種財団の事務所が入っているこの施設を訪れた最初の頃は、大理石モザイクの床を歩いている自分の足音が高い天井に響き、空間の大きさに気圧された。

「ちいさな星たち《ステッリーネ》」は十六世紀に建設され、四百年にわたって孤児院として運営されていたが、二次大戦後に残された戦争孤児を育てたあとその役目を終えて、現在の複合施設となった。施設の名称は子どもたちを世話した修道院の名から付けられたと、回廊の大理石の銘板に記されている。

建物の奥の扉から一歩外に出ると、それまでの堅い雰囲気とは打って変わって、そこは小さな森である。

秋の終り、落ち葉に埋もれた地面を踏みしめて散歩する。庭には十七世紀以来の遺物がいくつか配置され、塀の向こうの住宅建築の壁はヴェネツィアモザイクで装飾されている。ゆっくり歩いても一周七、八分の小さな森。突き当たりの右側にある大きな鉄柵の向こうの事務所から出てくるＥＵの職員を除けば、人は誰もいない。

木々が自然な形に剪定され、枝は複雑なまま残されている。樹木は空気を孕むように配置され、計算の跡を感じない。庭が作られたものであることははっきりと分かる。しかしそこには、日本やイギリスの庭園を構成している感覚とはまったく異なる思考がある。

森に漂う何かが違う。

ミラノの森の、見えない皮膜が幾重にも折り重なっているように感じるそれが何であるかは分からない。

❦

映画監督ルキーノ・ヴィスコンティ（一九〇六―七六）は、ミラノのヴィスコンティ邸で生まれた。彼が生を受けた一九〇六年は歴史上の過去だが、映画「家族の肖像」は私にとって自分の青年時代に発表された現代の作品である。

晩年の成熟期を迎えた作家は、ものごとを考え始めた青年に彼らがまだ理解できない角度から語りかける。青年は作品の中に自分が見えない部分を感じて経験していない人生の長い時間を想像するが、奥深くにあるものの意味はよく分からない。そうして見えない意味は見えないままに残される。

一九七八年に公開された「家族の肖像」（伊＝一九七四、仏＝一九七五）。その頃ルキーノ・ヴィスコンティは私からは遠い存在だった。私はカタログを読み他人の意見を聞いて考えたが、映画については、テラスからローマの壮大な風景の見える部屋で、貴族的な生活を舞台として世代の交錯を描いている、という通俗的な感想を持ったに過ぎなかった。ただその匂いだけは、物理的な嗅覚の記憶として私の中にはっきりと残され、その匂いが後日映画のもうひとつの意味を考え直すきっかけとなった。

時を経て再び観た「家族の肖像」は記憶とはまったく異なる映画だった。貴族的な生活を舞台に世代の交錯を描くという物語を借りてルキーノが表現しようとしたのは時代の変遷というような単純な読み解きではない、もうすこし複雑な、例えば美術史の進化、あるいは映画（演劇）における表現の本質と、さらにはミラノとローマが層になって存在している彼の心の内面そのもののことだったのではないかと感じる。

この映画の英文タイトル「Conversation Piece（カンヴァセーション ピース）」は、イギリスで十八世紀に流行した家族の団欒を描いた絵画で、それ自体がひとつの美術用語である。この言葉は、イタリアの教会の群像を描いた祭壇画を「Sacra Conversazione（サクラ コンヴェルサツィオーネ）」と呼ぶことから来たもので、調べてみると「カンヴァセーション（英）」は会話という意味ではなく、「コンヴェルサツィオーネ（伊）」はかつては人と人との関係、あるいは親密さを表現する言葉であったという。日本で「聖家族」と訳されている聖母マリアとキリスト、侍女、博士といった人たちを描いた群像は、イタリアでは「家族」という単語では殆ど呼ばれていない。「サクラ（伊）」は「聖」という意味なので、このイタリア語は本来「聖なる親交」と訳すべきかも知れない。

映画のイタリア語の題名は「Gruppo di famiglia in un interno（グルッポディファミーリアインウンインテルノ）」（ひとつの室内での家族の集まり、と訳せばいいのだろうか）とルキーノ自身によって名付けられたが、その意味は「家族の肖像」ではない。しかも「室内《インテルノ》」の冠詞は「ひとつ《ウン》」で、「家族《ファミーリア》」と「集まり《グルッポ》」は冠詞がない一般名詞であることから、ここに主題の含みがあることが分かる。色々な事件の後、教授と騒動の原因であった有閑マダムとその娘たちはローマの「ひとつの」室内で、家族の集まりのように団欒する。

騒動の後の静穏、架空の家族の温もり、政治に弄ばれる人々、別離の思い出……私のイタリア語力では考えないと想像できないが、その題名はイタリア人にとっては読み流しても感じることができるルキーノのメッセージである。


映画の中で主人公の教授は、十八世紀イギリスの絵画（カンヴァセーション・ピース）を収集し研究しながら、ローマのクラシックなアパートで美しい調度に囲まれて生活している。この英文タイトルがつけられたのは、カンヴァセーション・ピースが教授のコレクションであるからだが、十八―十九世紀のイギリス絵画の変遷にはいくつかの意味がある。貴族の家に生まれて教養を身につけていたルキーノがそのことを考えていなかったとは思えないが、彼はそれを敢えて映画の主旋律にはせず、何も説明していない。

カンヴァセーション・ピースはイタリアのサクラ・コンヴェルサツィオーネから名付けられてはいるが、描かれているのは聖人ではなくまた王族でもない一般人の家族に変化していた。十八世紀のイギリスでは植民地の権益が多くの富裕層を生み出し、彼らが教会や王族に取って代わって画家のパトロンとなっていた。スペインのゴヤがカルロス四世の家族を木偶人形のように美しく描いたのとは違って、イギリスの画家たちはパトロンの家族を人間として描こうとしているのが特徴的である。

美術史的にはさして意味のないこの時代のイギリスは、ルネサンス、バロックや十七世紀オランダの影響を受けた描写が大半を占めているが、中にはそれらの影響を離れた十九世紀の近代絵画（印象派などの）を予感させるものが出てきていた。ルキーノはこのふたつのこと、つまり表面に見えているモチーフの変化と、描写の内部で進行している次代の予感が複層していることを理解しながら、そのことについては何も語らず、映画の主題に重ね合わせようとした。

演劇には皮膜がある。映画「家族の肖像」の表面の皮膜は世俗であり政治であり愛欲だが、ひとつ内側の皮膜では、教授の離別した妻との思い出と「家族」の意味であり、人生の終盤を迎えた教授が監督ルキーノ・ヴィスコンティの現在と重ね合わされる。だが皮膜はこれだけではなかった。

私はなぜ演劇について考えているのだろう。画家である自分にとって表現の根源に思いを馳せることは自然なことだが、それはいつも制作のあとに沸き起こる欲求である。絵は言葉の認識からは出発できない。視覚は私に何よりも先にやって来る。画家にとって脳と目と手は一体であって切り離すことはできない。

演劇についての思いに囚われるようになったのは、その発生の時が絵画と同じではないかと考えたからである。想像してみれば、石器時代の洞窟に絵が描かれるようになり、絵は描かれた動物そのものの表徴となった。「ことば」が成立すると、人々は言葉に魂を感じるようになり、「霊能者」に憑依した他者の言葉を聴くようになった。他者が憑依した霊能者の「所作と言葉」、天然顔料や炭で描かれた動物が繰り広げる「絵画世界」の表徴するもの。その頃、人は絵の前で何を祈り、どのように畏れを感じたのか。そしてそれは私たちが絵を見て感動し、演劇に感情移入することと何が違うのか。

俳優の演じる役に投影された物語を読み取ることを人はいつ学んだのだろう。今日、私たちは演じられる役に感情移入して映画を観るが、同時にその俳優の名前を認識していて決して忘れている訳ではない。まだ言葉のできない赤ん坊は「いない、いない、ばあ」が大好きだが、これは「今はいないけど、私（赤ちゃん）はあなたがどこにいるかを知っている。見ていてごらん、もうすぐあなた（＝主人公）は戻ってくるよ。ほら出てきた（きゃー、ははは）」という演劇の原点である。鑑賞者はいつも主人公がどこかにいて、彼／彼女が俳優であることを知っている。しかし劇中の人々は物語の中で、主人公が死んでしまったと思って悲嘆にくれるのである。では、生まれて間もない赤ん坊はいつこの「観劇の約束」を学んだのだろうか。

文楽を見ながら感情移入について考えていて、ミラノから、大阪女子大学名誉教授で近世演劇の研究者である土田衞《まもる》先生にメールを送った。

土田衞 先生

理屈の多い文章を読んでいただき恐縮です。添付のメモに書きましたように、演劇の成り立ちについて考えている中で吉田文五郎にゆきあたりました。何故、彼だけが（あるいは彼のような人が他にもいたのでしょうか）主遣い《おもづか》い〔著者注：人形の首《かしら》と右手を受け持つ人。三人の遣い手の最上位〕としては異例な、自らの表情も交えて演じる〔人形を遣う〕ということをしたのか。といっても、今更彼の思いを訊くことはできませんので、先生への質問は、文五郎が自らの表情でも演じることによって文楽にもたらしたものは何か、あるいは文五郎の表現について先生はどのように感じておられるか、ということです。

何としても、先生の長い研究歴から発される言葉を伺いたいと思っています。お返事を心からお待ちしています。

再びの冬のような厳しい寒さのミラノにて。

山本浩二

山本浩二様

正しいお答えは私にもできません。

貴方が文五郎を観られたのは、多分彼の末期であろうと思います。結核で吐血しながらの舞台で、また聴覚もほとんど失っていた時機だと思われます。「酒屋」のおそのと、「妹背山」のお三輪ばかりを演じていた頃でしょう。

私の想像にすぎませんが、死期の近づいた彼には、無意識に感情移入があっての事だと思います。私には、特に彼だけが自ら表情を交えて人形をあやつったという認識はあまりありません。いずれにしろ確かに名人でした。

土田衞

土田衞 先生

……文五郎を観るまでは吉田玉男などによって、文楽の主遣いは顔を無性格、無表情に保たなければいけないものと思い込んでいた私は、大きな衝撃を受けました。

「……とも角、人形遣いは、一生かげの仕事であります。(中略) 歌舞伎役者には、其の役者の癖なり臭味なり、つまり其の役者の持味が何処まで行っても六代目さんだけのものでありますが、そこへ行くと人形の方は、人形そのものが昔の武者繪なり浮世繪なりの切抜きのようなもので、殊に自分の聲も出さぬのでありますから、人形遣ひの臭味はぢかに出る筈はなく、上手になればなる程、由良之助はほんたうの由良之助になり、お軽もほんたうのお軽になって行く訳だと思います。つまり腕が上がれば上がるほど、人形は光って来るが、それだけ人形遣いはお客の目から消えてしまう訳で、結局、人形遣いは一生「かげ」の仕事であります。人形の動きは、つまり三人のカンが一つに動いて、始めて木偶《でく》を「完全な人間」として動かすのであります。併しそれで、呼吸があって完全に動かしたといたしましても、まだそれだけではいけません。其の動きに、生きた血が流れていなければ、味といふものが出ません。単に動く、動かすということは、機械を以てしても出来ます。それに心が通じて、血が流れてくるまでにならなければ、主遣ひに出世しても、ロクな人形は遣はれぬのであります」。（「文五郎芸談」櫻井書店刊より）

そういう意味では、先生の仰るように、彼だけが表情を動かしたのではないのかも知れません。

では質問を替えて、主遣いと人形の表情のふたつを同時に観ている観衆は、芝居における感情移入をどのように行なっていると、先生は感じておられますか。

この質問の仕方では、芝居において感情移入があることが前提となってしまいますので、そうでないのなら、観衆は、演者と物語をどのように解釈して観てきたのでしょうか。

ギリシャ古典演劇における仮面は、ある性格を付与するための約束でした。だから時にコロス（合唱）全員が演者と同じ仮面をつけていました。能における面《おもて》はギリシャとはその性格を異にしていると思います。しかしこのふたつは角度によって感情を変化させていたとはいうものの、形そのものは変わらない仮面であったわけで、文楽における人形とは違っていると思うのです。

人形は形代《かたしろ》である側面を否定できないと思いますが、祈りにおける形代とは何かが違います。『木偶を「完全な人間」として動かす』と文五郎が言うように、遣われていない人形はただの木偶であるのかも知れませんが、私にはどうしても芝居が始まる直前の演者のように見えるのです。

山本浩二

山本浩二様

文楽（人形浄瑠璃）の場合、人形はあくまで「おまけ」です。

半世紀前迄は、「文楽を見にゆく」と言うと笑われました。文楽は見に行くものではなく、聞きに行くものなのです。

文楽に限らず、芝居を見ることは、感情移入があるのが当然と思います。それによって観客は泣いたり、笑ったりするわけです。

感情移入を拒んで芝居を見ることは可能でしょうが、それなら何の為にお金を払って劇場に通うのかが判りません。

あまりお返事になっていませんが、お許しください。

土田衞

感情移入についての私の質問は、土田先生によってあっさりと否定された。泣いたり笑ったりして感情移入をしながら、先生は歌舞伎と文楽を愛し、研究してきたのだった。理屈ばかりを言って親を困らせる息子のようになってしまったが、気を取り直して先生に質問を続けた。

土田衞 先生

「人形浄瑠璃の人形は『おまけ』、文楽は聞きに行くもの」という先生のご指摘に、文楽に対する感覚が音を立てて崩れるのを感じました。そうだったのですか。これまで何の疑問もなく太夫、三味線、人形遣いを三業一体のものとして観ていました。先生のお言葉から考え直すと、「演劇」における文楽の位置が異なった角度から照らされて明確に見えてきた気が致します。

聴覚と視覚。

このことからイタリアオペラを連想しました。俗に歌と筋書きが連動していると考えられているオペラですが、ヴェルディ（一八一三－一九〇一）までは独唱であるアリアはそれぞれに自立していて、歌手がアリアを歌い始めると、聴衆はその歌の中に物語を感じるというのが作法であったのです。しかしそれもヴェルディの後半生から次第に変化し、プッチーニ（一八五八－一九二四）に至っては完全に歌芝居になり、「蝶々夫人」などにおいて歌手は芝居をしながら歌うという、今日のミュージカルのような形態のものとなりました。（これはオペラ歌手である妻に教わったことです。）

記録によれば、近松門左衛門が亡くなる頃に人形遣いが三人になり、動きが繊細になることで益々人形浄瑠璃が人気を博するようになったとのことですが、百年ほどの前後はあってもイタリアオペラと人形浄瑠璃の変化は、ほぼその頃に聴覚と視覚の写実感の同時進行を観衆が求めるようになって来た為ではないかという想像を促します。先生の仰るように、元来太夫の声を聴くものであった人形浄瑠璃が複数の段仕立てで表現されていたことは、イタリアオペラのアリア（独唱）がその歌で単独に物語を語っていたことを連想させます。その人形浄瑠璃がやがて一段物で表現されるようになり人形の動きが複雑になっていくことと、オペラのアリアの歌と演技が同時に進行するように変化していったことは偶然の一致でしょうか。……

山本浩二

山本浩二様

人形が三人遣いになったのは、近松没後十二年目です。したがって、近松作品はすべて一人遣いの突っ込み人形（人形の裾から両手を突っ込んで高くさしあげて使う）で上演されていました。

この上演形式は、現在石川県白山市尾口地区／東二口村と佐渡にだけ残っています。年に一度文化財として上演されます。何度も見にゆきました。

当然手摺の高さは人間の背丈の高さになります。一人で裾から両手を入れて操るのですから、大した演技はできません。単純な動きだけです。

それでも近松は次々と名作をのこしたのですから、このことでも聞きに行くものであったのは明白です。「曾根崎心中」のポスターが残っていますので、添付しておきます。

私はオペラのことは何も知りません。オペラは見るものですか、聞くものですか。オペラの勉強をさせていただいています。

土田衞

先生に見せたい図版を添付し、デスクトップに移してから開いて下さい、などと余計なことを書いたら、先生から元禄時代の「曾根崎心中」の木版画を貼り付けたメールが返ってきた。

土田衞先生が九十三歳を迎える年の春のことである。


ルキーノは映画における演劇の皮膜について考えていた。彼の監督デビュー作「郵便配達は二度ベルを鳴らす」（一九四二）が「ネオ・リアリズム」であるという解釈は数多く語られているが、画家である私にはその言葉自体がよく分からないし、ルキーノもまた大して興味を示していない。

紀元前五百年、古代ギリシャにおいては、舞台を観て号泣し動揺した民衆の余りの反応の強さに禁止令が出るほどに、演劇を観る人々の意識は自我と感情移入（憑依）の間を行き来していた。やがて鑑賞者の意識は近代以降の自我の確立と共に変化し、今日ではどれほど心奪われる映画も、劇場から一歩外に出た瞬間に魔法が解ける。近年はエンディングのタイトルバックで俳優の失敗のカットさえ映すようになり、私たちはそれを本編とはまた別の魔法が解けていく物語として楽しむようになった。

映画はエンターテイメントであり娯楽ではあるが、ルキーノの映画は風俗ではない。入口はエンターテイメント。しかし、絢爛たる舞台装置や有閑マダムと愛人といった表皮の奥に幾重にも仕掛けられた皮膜が、私たちの心に演劇の興奮を与えてくれる。若い日の私には理解できなかったが、ただその匂いだけは、物理的な嗅覚の記憶として私の中にはっきりと残されていた。

鬱蒼とした森に漂う何かが違う。南国のむせかえるような空気が少しだけ残されている跡のようなもの、誰かが立ち去った後に残る気配のようなもの。

幾重にも折り重なった歴史の皮膜。美とデザインの宝庫ミラノの裏庭には森がある。現代のミラノに向かって扉を開いている建築、テラスからはいつも悠久のローマが見える。その仮想の空間は、ルキーノ・ヴィスコンティの胸に生涯存在していたのかも知れない。そしてそれは私たちの心の中に於いてもまた。

ブエノス・アイレス大通り 2番地

Corso Buenos Aires 2

ギャラリスト・マッテオ・ロレンツェッリ（2）

*

二〇一三年七月、ミラノ。

窓の外がとつぜん暗くなり、大粒の雨が天窓のガラスをたたいて室中に大音響が鳴り響いた。嵐がやって来たのだ。

初夏のミラノは朝から空が晴れわたり気温も高いが、午後の遅い時間によく嵐がやって来る。新作を描いている室はギャラリーの裏手にあるので、暑い日にもそこだけはひんやりとしている。七月の第一週に始めた制作は最終段階にさしかかり、もはや迷うこともやり直すこともできなくて、ただ一心に筆を動かすしかなかった。木枠を組み、三メートルを越すカンバスを張り、壁と床を新聞紙とビニールで丁寧に養生、張り上げたカンバスを正面の壁に立てかけて制作が始まった。

仕事場に並べたスイスの山で描いたデッサンと、神戸の能舞台の老松の次世代の小さなドローイングは、いかにも描くべき次の作品を暗示しているように見えるが、まだ何も生まれてはいない。

苦しんだ制作の最後に太いブラシで陰を描く。ダ・ヴィンチという名のドイツ製のブラシは、普通の筆のようには先が細くなく樽型である。そのブラシの角に、新聞紙に溶剤を染み込ませて乾いた状態にした絵具をつけてカンバスに叩きつける。墨を練り込んだ黒い絵具。一回のタッチで定着する絵具はほんのわずかだ。だから何十回、何百回もの作業が必要で、失敗を恐れるという神経でそれを続けることはできない。

絵の最後の局面では怒りが必要だ。意識していなければすぐに矮小化しようとする近未来の自分に対する怒りが必要だ。なぜ人は収束しようとするのか。畏れを感じるほどの大自然の風景は、それ自身は己の変化の先を知らない。そこに収束する意思などなく、だから大自然の風景は畏れを感じるほどに美しい。人間の造形もまた大自然と同じ未来に向かうべきなのだ。私たち画家もまた変化の先を知らない己に踏み込んでいくべきなのだ。

カンバスを叩くブラシの音は、雨粒が天窓に叩きつけられる大音響に消されて聞こえない。丁度やってきた嵐が私の意識をカンバスにだけ向けてくれた。ふたつの音が互いを相殺し、静寂の時が流れているようにさえ感じる。張り詰めた私の心のどこか遠くで、鳴り響く雨粒の音はまだ止まない。

集中していると終りは突然やって来る。もうどこにも何も描けない。カンバスの前を行ったり来たりしながら考える。カンバスに近づき離れてまた考える。絵は飾りではない。だから余分なものは削ぎ落とす。目の前にあるものは削ぎ落とされたぎりぎりのもの、何も引けず何も足せない状態のもの。だが分からない。筆を手に持ったまま動けなくなった今もまだ私には分からない。この絵は完成しているのだろうか。検証するのに必要な時間をとるために、筆を洗いに用具室に行く。

時間を置いた絵は完成しているように見えた。絵はいつも、筆を止めた瞬間から私の元を離れ始める。絵が私の領域から離れていると感じることが完成の指標である。現実には数メートル引いて眺めているに過ぎないのに、存在としての絵は刻々私から遠ざかり、距離があって最早手が届かないようにさえ感じる。

撤退してアパートに戻ることにした私は、制作の痕跡を撮影し、カメラを肩にかけて室を出た。重い扉を開けて外に出ると、あれほど激しく降っていた雨はすっかりあがり、中庭の空は青く、強い光が射して白い雲が流れていた。

雨上がりの澄み切った空気の中、いつものようにギャラリーの裏手から図書館の前を通り、線路を横切って路面電車《トラム》の停留所を右に曲がったら、そこに梟がいた。いやそれは歩道に残されたただの雨の染みだ。しかし、水道局の標識が両目の位置にはまって鼻もあり、耳がふたつ脚も二本で愛らしい。私は急いでカメラを出し、夢中でシャッターを切った。周りはすでに乾燥しているから、この梟は間も無く消えてしまうだろう。豪雨の中で新作を描き上げた午後の雨上がりの帰り道、ローマ神話の女神、ミネルヴァの英知の象徴であるちいさな臭がそこにいた〔一九八頁〕。

翌日、仕事場でふたたびの検証を終えてカンバスの側面にサインを入れ、最初の《黒松《ピノネーロ》》が生まれた。《老松》の新しいシリーズを《黒松《ピノネーロ》》と名付けたのは、それが白黒《モノクローム》で描かれているからではない。私は最初三種類の補色、それぞれが色相の反対側にある六色を練って濁った茶褐色を作った。何色とも言えないドロドロとしたその絵具をチタニウムホワイトに少しだけ混ぜると《黒松《ピノネーロ》》の背景の白になる。繰り返し試作した配合によって作られたその白の特性は美術館やギャラリーの壁にかけるとよく分かる。それは「真っ白」でありながら壁の白とははっきりとちがって見える色である。補色の視覚効果によって、入っている色彩が見えなくなっているのだ。それは明るい「白」でありながら、すべての光を吸収して色彩を感じない「黒」と同じ性質を持っている。

私にとって《黒松《ピノネーロ》》は、背景の白地の中に「黒」を象徴的に塗り込んだ絵なのである。

制作からの帰り道、その場所にさしかかると何度も見てしまう。あの臭はどこに行ったのだろう。雨の染みは二度と同じ形にはならず、マンホールの横の水道局の標識さえ今では見つけることが出来ない。

＊

「見ていたよ。猫のようにそっと忍び込んでね」

作品が完成したので見て欲しいと言ったら、マッテオは手を止めてデスクから立ち上がった。私が制作している仕事場に入り絵と対峙しても、初めての作品を前にした時に見せるいつもの厳しい目つきにならないことに違和感を感じたが、すぐあとに口から出た言葉でその訳を理解した。マッテオはすでに「猫のように」そっと室に入り、私の新作を見ていたのだ。

その目と柔和な表情に、納得している彼の気持ちを感じた。マッテオの性格から想像すると、制作の経過を何度も検証してきたに違いない。

彼が私の絵を初めて真剣に見たのは二〇〇八年の秋のことだ。更にその四年前、コレクターの医師、スカルトリーニ先生の紹介で初めて彼と会った。それから年に二度は新作を見せに通い続けたが、彼は私の絵にこれといった反応も意見も示さないまま時間だけが過ぎていった。

そんなある日、私の体に重篤な心臓病が見つかった。入院し検査の日々が続いた。検査の数値は酷いもので、主治医は画家という私の職業を考えて、厳しくとも真実を伝える道を選んだのだろうか。医師は言った。余命五年、しかし治療と薬剤の進歩は日進月歩です。

決して諦めずに闘って下さいと。

特発性拡張型心筋症は進行すれば心臓移植にしか救いを求められない病である。今も多くの子どもたちがこの難病に苦しみ、移植の機会を待っている。（この時の私は、シチリアの友人ピッポが私と同じ病に冒されて亡くなることをまだ知らない。）

周りでは同じ病状の入院患者たちが次々に亡くなっていった。忘れることも逃げることもできずに死と向き合わされた私は、ただ辛く、心を閉ざしたまま毎日空を見ていた。

私は心が折れる前にマッテオに手紙を出すことにしたが、それは、手紙の中のその想像が生きる励みになるかも知れないと考えたからに過ぎない。心のもう片方で私は希望を捨てていた。

親愛なるマッテオ・ロレンツェッリ
ご報告があります。

夏前の定期検診で特発性拡張型心筋症という心臓病が見つかり、入院をやむなくされました。

非常に重篤な状態で、しばらくお会いすることはできません。

しかし私は、この重たい病が必ずこれからの私の絵に大切なものを与えてくれると信じています。
病と闘いながら、あなたにお会いできる日を待つことと致します。
お元気で。

山本浩二

ドイツと日本の医学者によって対症療法の薬剤研究は進んでいた。しかしその薬には〇・五ミリグラム単位の微細な調整が必要で、自分の体で投薬の臨床試験を行なわなければいけない。調整の何段階目かのある日、体が重力に押さえつけられたように全く動かなくなった。薬の機能が私の体の自由を奪った。薬は劇薬だったのだ。医師に、もしもこの薬が使えなければ対症療法の可能性さえもなくなると言われたが、私にとってはそれどころではなかった。しかし、起きることも寝返りをうつことも出来ず丸三日が過ぎた日の朝、私の体は突然のように動き始めた。

私の身体には薬と戦う力がまだ残っていた。

胸に除細動器（心停止時に高電圧で蘇生させる）が埋め込まれ、突然の心停止に対応できるようになって退院の許可が出た。八ヶ月の闘病のあと、やっと出歩けるようになった私は、フィエラ（見本市会場）で開催されているミアルト（Miart＝ミラノ国際アートフェア）にマッテオを訪ねた。ロレンツェッリ・アルテのブースに入ると、反対側のコーナーにいたマッテオは私を認め、駆けるように近づいて来た。

「コージ、大丈夫なのか！　もう大丈夫なのか！」

マッテオは私の肩を強く抱きながら、元気になって良かったと何度も繰り返した。いつも慇懃で軽口をたたかないマッテオが本当は熱い人間であると知り驚いた私は、強く彼の手を握り返し、会場を後にした。

その日を境に、マッテオは私の絵を真剣に見るようになった。

＊

「コージ、素晴らしいと思う。次に、このシリーズに色のついたものが見たい。出来ますか？」

僅かに残された体力を上手く使わなければいけなかった。板の上に置いた水彩紙に線を何本か引き、立ち上がる度に貧血を起こして目の前が真っ暗になった。一度暗くなるとしばらくは元に戻らない。

病気が発見された年、その頃試作を始めていたモノクロで描いた新しいシリーズが新聞連載の挿絵に採用された。フランス・アルシュ社のコットンペーパーに極太の8B鉛筆と木炭の粉末で描く《樽と煉瓦》は、その後《Another Nature（もうひとつの自然）》の原型になるが、この時の私はまだそのことを知らない。

難病であることを隠しても、この新聞社の仕事だけは何としても諦めたくなかった。一ヶ月に一度それを描く為にアトリエに入り、一枚の絵を描き続けた。それだけが生きる証しだと思った。

そして一年が過ぎ、《樽と煉瓦》は初期の暗中模索の状態から抜け出し、第三世代に入っていた。

「この造形に色彩を展開したものを描いてみたいと思います。考えを掘り下げるために少し時間をいただけますか」

マッテオに約束した三日後、私はローマに旅立った。一メートル足らずのこの小さな絵が古代の巨大遺跡フォロ・ロマーノでどのように見えるのか。もしもその中に空間が描かれているなら、どのように小さな絵であっても大きな空間と引き合うことが出来るはずだ。絵は空間芸術である。そのことを信じてはいたが、自分の絵はまだひ弱で頼りなく、フォロ・ロマーノの二千五百年の時間と対峙し、あの広大な遺跡に試されてどうなるのかは分からない。私は自分の目でそれを見ないといけなかった。

遺跡に立ち、想像の中で絵を三メートルに拡大し柱の間に置いてみた。フォロ・ロマーノでは三メートルのカンバスは本当に小さいが、それでも絵が三メートルあれば離れても中身が見える。見た瞬間、自分の絵がいかに弱々しく空間を孕んでいないかということを痛い程感じた。フォロ・ロマーノの空間は圧倒的であり、二千五百年の時間は私には永遠の刻であるように思えた。

夏の暑さが残る九月、空は高くなりローマに秋が来ていた。ちぎれた雲が巨大な建築群の背景で大きく動き、風景のすべてが風に流されていくようだった。フォロ・ロマーノの記憶は目に焼きついて離れなくなり、私は自分の中に新たに描くべき絵が懐胎したことを感じた。

＊

ローマから半年、私は《樽と煉瓦》の第三世代のモチーフを緑色のタブローに仕上げてマッテオを訪ねた。何も言わず厳しい表情で絵を見ていたマッテオは、やがて吹っ切れたように顔を上げて言った。

「展覧会をしよう。美術シーズンの秋の開幕をコージの個展で始めよう。この緑の作品のレベルで揃えて、展示には全室を使う。いいね？」
展覧会のことを考えていると返事を促された。私ははっきりと「やります」と言葉にし、彼に感謝の気持ちを伝えた。
「マッテオ、ありがとう。いい展覧会にします」

会期が決まり、契約書を交わした。画家として長い間夢見てきた世界流通のギャラリーとの契約は現実のものとなり、最高の個展を目指して制作を始めなければいけなくなった。ロレンツェッリ・アルテは、天井高五メートル、面積が四百平方メートルを越す、壁面百五十メートルの大空間である。フォロ・ロマーノで与えられた課題を乗り越えこの壁を埋め尽くすことが、果たして私に出来るだろうか。その日から私はアトリエに籠って夜も昼もなく描き続け、六ヶ月の制作のあとすべての作品は完成した。

ローマで懐胎した新しい構想は《Another Nature（もうひとつの自然）》の作品群として生まれ、二〇〇九年九月十八日、展覧会はその初日を迎えた。

＊

ロレンツェッリ・アルテ展（2009）
Lorenzelli Arte 2009

「型枠だった板の節の穴を見て、これは『存在』ではないかと思った。存在には無と有（MU YU）があるけど、僕たち東洋人にとっては無とは何もないという意味ではないと気づき、型枠そのものを彫刻にしたんだ」

《MU YU（無有）》は、スカラ座の工房の斜めに位置するアヅマ・ケンジロウのアトリエで生まれた。重厚な金属の造形に穿たれた穴が存在の意味を象徴するアヅマの彫刻は、六〇年代を代表する作品のひとつとなったが（イタリアに於ける「二十世紀の十人の彫刻家」）、この作品と思想によって、「穴（空《くう》）は存在である」ことの東洋的な意味を、ヨーロッパ人も少し理解するようになっていった。西洋的な概念では「穴」は「存在」を象徴していない。

パリやロンドン、NYや東京でも、倉庫街が流行の先端をいく町に変わることはよくあることだが、アヅマ先生のアトリエがある辺りは、古い煉瓦塀に囲まれた区画も多く残っていてまだ閑散としている。交通の便は悪く、最近やっとニグアルダ医療センターの東にあるビコッカ大学の先まで地下鉄（5号線・藤色）が開通したが、アトリエは駅から遠く、直接には中央駅《チェントラーレ》から出ている83番のバスでしか行くことができない。

先生の話が聞きたくてアトリエに通った日々の記憶は、車窓から見た町外れのちいさな家並み、イーゾラの広場の中央に建つメルカート（市場）とその先に続く工場街の風景に重なっている。

イーゾラ（島）は、ガリバルディ駅の複数の線路の北側にある、文字通りミラノの離れ小島である。元々灌漑地であったために川に囲まれた農地が点々としている様子からイーゾラと呼ばれたが、地区の南側にミラノの主要駅のひとつガリバルディが作られ、線路がミラノの街との間を分断した結果、地理的にも島となった。十九世紀の後半、この地域には工場や倉庫や小さな工房が点在していたが、今ではそれらは居酒屋やブティックに取って代わられ、若いデザイナーや作家の事務所も増えて、イーゾラ（島）という名前そのものが象徴的な響きを持つ町になった。

さらにその北にはニグアルダ総合医療センターがあり、その大きさはイーゾラの町とほとんど同じ規模で、広大な敷地の樹々の間に建てられた病棟の風景が広がっている。

このニグアルダ医療センターとイーゾラの町に挟まれた一角に、スカラ座の工房があった。スカラ座はマリオ・ボッタの設計により二〇〇二年の一月から二〇〇四年の秋にかけて大幅に改築され、今では五つの舞台装置を同時に維持できるほどの規模になったが、以前は大道具も衣装も、工場や倉庫の立ち並ぶこの一角で製作されていた。

アヅマ先生のアトリエはこの工房の斜め向かいにあった。

「日本の寺に行った時、縁側で横になって庭を見ていたんだ。赤い花がたくさん咲いていた。曼珠沙華なのか、真っ赤な色がエロティックでね、それが遠くに見える山と一緒になって、何とも言えない気持ちで胸が落ちつかなかった」

話を聞いている時、先生の真意が何であるのかと考えたことはない。私の頭に浮かんでいたのは、縁側で横になって曼珠沙華を見ている先生の姿だけである。磨き上げられた板の上で何かをじっと考えている先生こそが私の大切な記憶で、それからも何度この日の情景を思い出したか分からない。自然光とわずかな光源だけに照らされた薄暗いアトリエで、先生は淡々と話す。数えきれないデッサンや彫刻のプロトタイプが積み重なり、椅子の黒いビニールカバーは破れていたが、それさえアトリエの空気の一部だった。人生の半分以上をイタリアで生きてきた先生の言葉の何分の一かはイタリア語である。それを日本語に訳さずそのまま聞いたために、話の内容を映像で記憶したのかも知れない。

先生が二次大戦最後の特攻隊の生き残りであり、文化庁の派遣留学生としてブレラ美術アカデミーでマリノ・マリーニの助手を務めたという一般的に流布している情報も知ってはいたが、私はそれらのことについては何も訊いたことはなかった。

「ジェノヴァの山の上での展示に招待されて制作したことがあってね」

ジェノヴァは、ミラノからトルトーナを経由して南下した先にある、地中海に面した港町である。イタリアは日本と同じく山脈が背骨のように半島を貫いているが、ローマ郊外から見ていくと、アッシジ、ペルージャ、フィレンツェと北上したあとボローニャで大きく西に蛇行していて、スイスのアルプスまで真っ直ぐには繋がっていない。山脈は半島中央部のボローニャからジェノヴァの北側を地中海に沿って西に進み、フランスの国境で再び北上してアルプス山脈と合流し、スイスからオーストリアへと東に延びていく。ミラノは逆コの字型の山脈に囲まれたこの盆地にあるために、しばしば霧に包まれる。

ジェノヴァは海と山に挟まれた地形で、山からは地中海が見下ろせ、百二十キロ離れた先にはコルシカ島が浮かんでいる。

「この展示は特別なものだから、期間が終れば撤去する予定だったのだけど、主催者が気に入って今でも設置してあるんだ。十メートル以上ある横長の厚みのない彫刻でね、その曲線が遠くにある山並みと重なって見えている」

先生の話は話のままに聞く。しかし、この時先生は彫刻と風景の関係について語った。

「見ているうちに彫刻は山に溶け込んでね、不思議なひとつの風景になっていた」

これを書いていて思う。今なら先生とこの話が出来ると。二〇一一年に《老松》を描いたあと、そのことについて何度も考えてきた。人間の営為と自然の関係はどういうものなのか。芸術はどこに存在しているのか。私たちの視点はどこにあるのか。

先生はいつも優しい言葉であったが厳しく作品批評をしてくれた。私は先生の言葉に鍛えられてやってきたが、しかし、その頃の私はまだ未熟で、先生の言葉に応えることが出来なかった。

悔恨はいつも遅れてやって来る。

*

二〇一六年七月、三年前の嵐の日に完成した《黒松》を中心にしたミラノでの大規模個展の準備が、少しずつ進んでいた。

東京国際アートフェアでの個展とシンガポールやソウルといったアジアの国々での展覧会、金沢能楽美術館ではミラノの《黒松》以降の《老松》を美術館の収蔵品である重要な能面、衣装と対峙させる展覧会が開催され、銀座と大阪中之島では《Another Nature（もうひとつの自然）》の次世代の作品も混じえて大きな個展が開催された。

マッテオがそれらの展覧会の精華のすべてをまとめる展覧会を企画し、会場の設営と画集（展覧会公式カタログ）の編集が始まった。

日本文化研究者スザンナ・マリーノ、テキストの執筆者イーヴァン・クワローニと私の三人で、表現について長い時間をかけて話した。イーヴァンは「絵を見ることは、絵に見られること」という私の言葉を、西田幾多郎との共通性に言及して画集に書いている。


もうひとつの自然＆生きている老松　　イーヴァン・クアローニ

「芸術はものごとの表面を模倣するのではなく、その本質を写し取る」（アナンダ・K・クマーラスワーミー）
「自分の眼で見ず知識に留まる人には、神秘は理解されない」（ヤナギ・ムネヨシ）

日本の哲学者ニシダ・キタロウによれば、自然の本質は、主体と客体が入れ替わる瞬間の知覚に起因している。京都学派の偉大な思想家は事実、「経験知」とは直接的なものごとの認識の表れであると確信していた。それは判断の表出に先立ち、その直前に感得されると。「自らの意識を検証すれば」と彼は言う、「主体も客体も存在しない。認識することと認識の対象は瓜二つの同じものである」。

この思想は『あなたが絵を見る時、絵はまたあなたを見ている』というヤマモトの考えと同じである。ここでも主体と客体は入れ替わり、互いに侵犯し合っている。

スペインに学び、アメリカからイタリアまでの多くの西洋諸国で発表を続けているヤマモトの作品と思考の中には、東洋の視覚の遺産がすべて投影（射出）されている。西洋の視覚と相照らしながらも一対ではないひとつのものの見方が、基本的には二元素から成り立ち、悪い方向に向かうことなく、統一された新しい造形を創造している。……

（著者訳／ロレンツェッリ・アルテ「山本浩二展」公式カタログ）


画集の編集はラフ原稿を秘書のフェデリーカが作成し、最終的にはマッテオがチェックする。過去の作品も掲載し、テキストはイーヴァン・クワローニ、ウチダ・タツル（内田樹）とヤマウチ・マイコ（山内麻衣子）。イタリア語、英語と日本語が併記された画集は九十頁を超えた。

七月に始まった展覧会の準備は、夏休みの後も続いた。長い時間の必要な搬入と展示。二〇一三年に制作した大作と他の作品を倉庫から運び出し、描き上げた筈の絵に不足を感じてかなりの筆を加えた。その間に雑誌と新聞の取材が続き（十七誌紙に掲載）、九月八日に催されるオープニングの準備、二日目に開催されるヤスダ・ノボル（安田登）氏の能楽公演の解説の翻訳をスザンナ・マリーノに依頼し、能舞台設営の計画、作品展示の仕上げ、照明、撮影、画集の校正、資料の整備にショーウインドーの掲示と、目まぐるしく追われている内に初日がやって来た。

会場のすべての準備を終えたのはオープニング当日の朝のことだった。

九月八日初日のオープニングセレモニーとして、妻モリナガ・カズエ（森永一衣）のソプラノリサイタルが企画され、準備が進められていた。ここロレンツェッリ・アルテでは、リッカルド・シャイー（二〇一七年よりスカラ座音楽監督）が四重奏を振ったこともあるという。オーナーのマッテオはクラシック音楽を愛していて、音楽家の友人も多い。

前日の午前中にグランドピアノが搬入され、午後にはピアニストのマルコ・ストラストラがローマから中央駅《チェントラーレ》に到着。ホテルに入った。

ロレンツェッリ・アルテの門扉
Lorenzelli Arte

arte

＊

モリナガ・カズエは三十代でミラノに留学し、エルベ劇場でのミラノ音楽協会主催のリサイタルでデビューしたソプラノ歌手である。

モリナガのデビューの日、十二月八日の街は朝から深い霧に覆われていた。冬の初め、ミラノにはよく霧が張る。盆地であるために、ピエモンテの山から湿った空気が降りて来て地表の水蒸気とぶつかり霧が発生すると、ミラノの街はもはや乳白色である。大聖堂《ドゥオモ》の前で14番の路面電車《トラム》に乗りかえ、コルドゥージオ広場を右に曲がる。路面電車《トラム》はエルベ劇場に向かって、車体をきしませながらゆっくりと走っていた。道路の端と端を結び明滅するクリスマスのイルミネーション。白く張った霧の中を、次々にやって来る人たちが劇場の席を埋め尽くして、リサイタルは開幕した。

イタリア・オペラのアリアとイタリア歌曲で構成された演目の最後に、ミラノ音楽協会会長アントニオ・モルモーネ氏の出身地であるナポリの民謡を、モリナガは必死に練習したナポリ方言で歌った。若い東洋《オリエンターレ》出身の歌手のナポリ方言。それを観客は嘲笑ではなく好意で迎えてくれたようだった。ナポリの歌が歌われ曲が進むにつれて、ナポリの出身なのだろうか、幾人かの老婦人が溢れる涙をハンカチで押さえて泣いていた。

「Un'Altra Natura e Vecchio Pino Vivente」展（2016）
Lorenzelli Arte 2016

今もナポリの民謡《カンツォーネ　ナポレターナ》を聴くたびにその光景が私の胸に蘇る。

＊

二〇一六年九月八日午後六時、展覧会は始まった。

会場はイタリアの友人、ギャラリーの顧客と一般客、日本からも三十名以上の人が来てくれて、全体では二百名を越える来客のむせかえるようなオープニングだった。

オーナーの紹介の後、モリナガ・カズエが鮮やかな浅葱色の着物で登場した。アリアを三曲歌い、万雷の拍手の中でファンの人たちから花束を受け取る。

オーナーと私が挨拶し、スザンナ・マリーノが少し話を付け加えて、初日のセレモニーは終わった。

＊

ギャラリーに連絡が入り、アヅマ先生の死を知った。湿度の高い、十月の曇った土曜日の朝だった。

ロレンツェッリ・アルテでは次にアヅマ先生の展覧会を予定していて、私の展覧会場で先生の小品の撮影が続いていた。ギャラリーで自分の絵が先生の彫刻と並んでいる光景が誇らしかったが、同時に、姿が見えないことに先生の体の状態を考えさせられて、不安な気持ちを抱えたままの五日間が過ぎていた。

タクシーは郊外の林の奥にある葬儀場に大きく蛇行しながら入っていった。石積みに囲まれた墳墓のような小さな緑の丘の脇に建つ教会だった。葬儀は、友人たち、美術館の館長、ミラノ市長、新聞雑誌の記者で一杯になり、アンリ（子息＝建築家）の挨拶で始まった。神父の祈りのあと、登壇する人々はそれぞれに語るが、権威づけの紹介は何もない。すべての人が、先生の芸術、先生の理念について言葉を尽くし、それが自分に課された責務であるかのように話し続ける。ジュリーニ先生の時もそうだった。イタリアでは、芸術家を送る日は皆このように振る舞うのが習わしなのだ。この日も予定されていない人がマイクを取って突然話し始めたが、彼を止める人は誰もいなくて、その熱い語りに拍手も起きた。私たちは悲しみを語るのではなく、心と記憶に刻まれた芸術家の実存を明らかにしなければいけないのだ。

しかし、そのことが分かってはいても悲しさが癒えず、目に溢れる涙は止まらなかった。

私はすべての人が別れを告げて去ったあともひとり残って棺に手を置き、泣いていた。どうしたらいいのか分からなくなった私の肩を誰かが叩いた。

「コージさん、もう泣かないで」

私の後ろにエミリアが立っていた。

「アヅマ先生は九十年の人生を芸術家として全うしたのよ。立派で素晴らしい人生ではないのかしら」

エミリアやギャラリーのマッテオとも別れて、私はアパートに戻った。妻がミラノを離れていたため、ひとり庭の花を摘み、パンとハムの簡素な昼食を用意してテーブルに座った。キリスト教徒には精進落としの習慣はないので、誰にも声をかけず、花を飾り、先生の作品集を置いて静かに昼食を摂り始めた。

空が雲に覆われたままの長い一日だった。

＊

「今は多くの人がスマートフォンに夢中になり、それがまるで世界のすべてであるかのように思っているさ。しかし十年もすればそれもなくなり、必ず他の何かに取って代わる。

スマートフォンが何かを生み出すわけではないのに彼らはそのことに気づいていない。

僕はバイクが好きだから乗るためにそれを買う。コージは腕時計をしているし、僕もしている。それを僕たちは選ぶこともできるし買うこともできるけれど、それは消費に過ぎない。

しかし、芸術を消費することはできない。私たちに芸術を決めることはできない。芸術が私たちにすべてを語る。芸術が私たちにすべてを教える。そうじゃないか、コージ」

ギャラリーのオーナー、マッテオ・ロレンツェッリとふたりになり、話を始めた。ギャラリーの閉まる定刻の七時にアポイントをとって行くと、マッテオは私の顔を見てスタッフ全員に仕事を終えて帰るように伝え、大社長のブルーノ、秘書のフェデリーカ、若いマッシミリアーノと作業係のアレックスは怪訝そうに振り返りながら扉を開けて出て行った。マッテオは扉に鍵をかけて振り向き、ギャラリーの最も大きい部屋に行くように私を促した。

ロレンツェッリ・アルテは、ミラノのチェントロ（中心）の北東角、ヴェネツィア門を起点とする、南米の都市ブエノスアイレスの名前がつけられた大通りの二番地、つまり通りの始まる角の最初の建物の中にある〔地図54頁〕。大きな木の扉の奥に鍛造で作られた鉄の門があり、管理人に挨拶をしてその脇を抜けて更に十メートル。重いガラス戸を押して中に入ると、そこは真っ白な壁の大空間である。

「君も僕もやがていなくなる。しかし、君のこの作品は残るだろう。君がいなくなっても、この絵が見ている人にすべてを語るだろう。芸術を消費することはできない。私たちに芸術を決めることはできない。芸術が私たちにすべてを語る。芸術が私たちにすべてを教える。そうじゃないか、コージ」

陽が落ちて薄暗いギャラリー、大きな照明を消してスポットライトだけの会場に私の絵が浮かび上がるように掛かっていた。その中でマッテオは芸術の本質をいつ終わるともなく語り続けた……。

＊

会期は九月八日から十月十五日を予定していたが、最終日の後も来客は途切れず、結局展示は十月の末まで続いて、約二ヶ月間の展覧会となった。

ガリバルディ通り

Corso Garibaldi　ファッションデザイナー・ナンニ・ストラーダ

「スミマセン」と日本語のちいさな声が聞こえた。パリからミラノに戻るＴＧＶ（超特急）の中でのことだ。奥に座っている女性が席を立つために通路側の私の前を通る、そのための断りである。最初はフランス語かイタリア語を聞き違えたのだと思ったが、二度目にははっきりと日本語が聞こえたので訊いてみた。「今、日本語を話されましたか？」私のイタリア語での質問に、彼女は「はい」と日本語で答えた。

それが、ナンニ・ストラーダとの出会いだった。

ナンニ・ストラーダは七〇年代に活躍を始めたファッションデザイナーである。若く聡明な彼女には大きな野心があった。それは単に有名になりたいということではなく、これまでよりもひとつ高い次元のファッションを生み出したいという欲望である。

「クローク アンド スキン（The Cloak and the Skin）」

「覆いと皮膚」とも「布地と肌」とも読めるこのタイトルの作品を、彼女は二十代の後半で発表した。

隅々までキルティングされた布を直線で裁断し、服の端を異なる布で縁取《オーバーステッチ》りしたコートは折紙のように平面的に畳まれ、その後同じ直線裁断の方法で薄い布地のワンピースにもなっている。身にまとっているモデルの画像を見ればわかるが、平面である布が身体を包み馴染んで空間を形づくっている様子は美しい「覆い」である。

彼女は工業生産とファッションを結ぶ可能性に挑戦していた。イタリアでは衣服は立体裁断で作られる。それは熟練の職人技であり、伝えられてきた技術を数字にし言葉に置き換えることは難しい。今日、多くの製造現場で熟練技能者が次世代に技を伝えるために数値化と言語化の努力をしているそのことを、ナンニ・ストラーダは半世紀前に実現しようとしていた。出版された著作で、自身によって「マッパモデッロ（mappamodello＝雛型の地図）」と名付けられたデッサンを見ると、彼女の思想が伝わってくる。私たちは彼女の作った地図の上を歩いて雛形と出会い、それらを結びつけて肉体を包む豊かな空間を作ることが出来る。この造形がイギリスに於けるスーツの型紙のようなものでないことは、出来上がった衣服を見ればわかる。イタリアのジャケットは着ているうちに全体がくったりするのではなく、肩甲骨に沿った背中の形が現れて体に沿うようになる。ハンガーに掛かっている上着にその形を感じたら、それはイタリアで作られたものだ。いつまでも型崩れしないサヴィル・ロウのスーツに対して、型が柔らかくなり肉体に寄り添うジャケット、それがイタリアなのだ。ナンニの「地図」は一見数学的に見えるが、縫い上げられた衣服はイタリアそのもので、着る人の肉体に柔らかな空気を与える。彼女の「雛形」にはその形のうちにイタリア人の持つ空間感覚が埋め込まれている。

ナンニはもうひとつのシリーズ「スキン」と併せ、クリーノ・カステッリと組んで映像「クロークとスキン」を制作した。「スキン」はシンプルな工程で作られた伸縮性のある生地のボディスーツで、首回りがスーツの股間に対応するH型の管状構造《チューブ》になっている。

「人間はチューブだという考え方は分かりますか？」

「はい、理解しています」

「そう、なので私はどこでカットしても着られるように考えて、管状構造で伸縮性のあるスーツを作りました」


そんな風に話しながらナンニは小さなデッサンを一枚描いた。簡潔でありながら粗野でなく、創造的でありながら工業生産の可能性を切り開くという彼女の夢を感じる、シンプルな線描の美しいデッサンだった。その後彼女の著作を読むうちに、この管状構造が発展して腕の部分が極端に長いシャツが作られたのだと知った。だぶだぶの袖をたくし上げて生まれる造形は、逆にそれが包んでいる肉体を強く意識させるものとなり、彼女自身によって「皮質《コルテッチェ》（Cortecce）」「肌《ペッレ》（Pelle）」「チューブ《トゥーボ》（Tubo）」と名付けられている。今では珍しくないこの形は、何十年も前に彼女が考えたものだったのだ。

彼女の話を聞いてすぐに連想したのはイッセイ・ミヤケの「一枚の布」と「A-POC」である。ナンニの「クローク」はイッセイの「一枚の布」に、「スキン」は「A-POC」によく似ていると思った。しかし後日調べて驚いたのはそのことではない。ナンニ・ストラーダの「クロークとスキン」とイッセイ・ミヤケの「一枚の布」は全く同じ一九七三年の秋のコレクションで発表されていた。ファッションの世界にこの二人が同時に現れたことの意味は何なのだろうか。

衣服の歴史は（私見では）「体を隠す→様式を着る→機能的に動く」から、「思想を纏う」時代に移ってきたが、この思想とは肉体のことであり、纏うことことが却って生々しい身体と皮膚を意識させるという逆説が現在も続く大きな潮流になっている。

「パリにはお仕事ですか？」と私は訊いた。

「はい、パリの装飾美術館で開催される展覧会に出品しているので、そのオープニングに出席した帰りです。日本のレイ・カワクボさんとイッセイ・ミヤケさんも一緒でした」

画家である私には遠い世界だが、イッセイも川久保玲も尊敬すべきデザイナーである。それはビジネスの成功とは関係のない、新たな認識を衣服に与えた先駆者に対するものだ。グラフィックやプロダクト、ファッションといった表層を流れていく美には、人々が生きたそれぞれの時代に対する愛惜が重なる。私たち芸術を目指すものとは歴史感覚が異なっているが、時代に新たな認識を刻印する気持ちは変わらない。

ナンニは一九七九年、ファッションの世界にもたらした革新的な構想と哲学が評価されて、コンパッソ・ドーロ（「黄金のコンパス」イタリアデザイン界の最高賞）を受賞した。その後、数多くのブランドと組んで仕事を展開したが、彼女自身のブランドである「ナンニ・ストラーダ」と「ノーメイド」を立ち上げたとき、彼女はまだ三十代の若さだった。

「ひとつ伺ってもいいでしょうか。あなたは席を立つときに日本語で『スミマセン』と言いましたね。どうして、日本語が話せるのですか」

「いいえ、ごく簡単な挨拶だけで、五つくらいの言葉しかできませんけど……。実は以前、東京の青山と原宿にお店があって、主人とよく日本に行きました。素敵だったわ、京都や金沢、その頃は日本のたくさんの街に旅行していました」

「そうだったのですか。それで今は？」

「現在は日本にお店はないのです。ブランドの企画が中心で、秘書やスタッフと一緒にスタジオにいて仕事をしています。あなたはどんなお仕事をされているの？」

ナンニの問いに、私は「絵を描いています」と言って作品の記録を見せながらいくつかの話をした。見る人に素養があればすぐに分かる。私の絵がどこから来ているのか。歴史の何に影響を受けているのか。透明感のある色彩に構成的な造形。私の絵は、強い抽象形態が空気のように透明な色彩の中に存在している《無垢の形（Innocent Form）》の時代に入っていた。ポストカードをプレゼントすると、ナンニはひとこと「色も形も素敵ね」と言いながらそれをバッグに入れ、私は彼女の描いてくれたデッサンをファイルにはさんで大切にしまった。

「窓の外を見て。稲穂が一面に広がっているでしょ。イタリア北部のこの辺りはピエモンテといって、大穀倉地帯なのよ」とナンニが言った。

列車の窓外には黄金に輝く田園が一面に広がっている。フランスの国境を越えた列車は次第に速度を上げ、一路ミラノに向かっていた。

「ナンニ・ストラーダと列車で知り合った？　どうしてそんなことが起きるの！」

信じられないという顔をしてガブリエッラが言った。ガブリエッラは、イタリアの若いデザイナーの下で働く縫い子である。ベルガモ生まれの彼女は、十代の時からこつこつと働き続け、やがてミラノ市内でちいさなアパートを手に入れる。そんなつつましい生活をしながらも、幼い頃から文学や美術に憧れていた少女は、自分の中でその像が結ばないままに、何かになりたいと考え続けていた。

「コージ、こんなことを言っていいか分からないけど……ナンニに紹介してもらうことは出来る？」

列車での出会いから時が流れ、ナンニのアトリエを訪ねるようになった頃のことだ。ガレリアで開催される私の出版記念展にナンニ・ストラーダが来ると話したら、控えめで大人しい性格のガブリエッラは思いつめたように言葉を切り出した。私は言った。

「ガブリエッラ、それはできないよ。ナンニは親しい知人であっても友だちではないから。一番いいのは偶然出会って紹介することかな」


今から考えると不思議なことかも知れない。ガブリエッラ・レズミーニは現在ジョルジョ・アルマーニの第一縫製室に勤務するクチュリエール（縫製士）で、欧州の各王室とハリウッド女優の担当者である。彼女の縫製技術はイタリアファッション界でも最高のものとなり、それは即ち世界でも最高の技術であることを示している。

彼女は早朝の空港に行き、ビジネスクラスでストックホルムに飛ぶ。出迎えに来ているリムジンにスウェーデン王室の護衛が同乗し、城に着くと大きな食堂に朝食が用意してある。素材の厳選された簡素だけど豊かな朝食（「やっぱりサーモンだったのには笑ったけど、見たこともないような美しさで、とても美味しかった」）。やがて執事に案内されて城のなかの室をいくつも通り抜け、一番奥の広間に入ると、椅子に腰掛けている王妃が微笑みながら立ち上がる。

「ようこそレズミーニさん、お待ちしておりましたわ」

ガブリエッラの今日は、すべてあの日の夜に始まった。出版記念展のオープニングの日のガレリアで、私はナンニと立ち話をしていた。丁度その時、仕事を終えたガブリエッラがやって来た。紹介して欲しいと言われていたことを思い出した私は、あわてて二人を紹介してその場を離れた。ナンニとガブリエッラは長い時間話していたが、何を話していたのかは今も知らない。ナンニのアトリエで働きたいというガブリエッラの望みをナンニがきっぱりと断ったことは聞いたが、その後にナンニは何かを言った。形だけの断りではない何か、若者を励ますようなものではない何かを。どのような内容であったのか想像することはできないが、それがガブリエッラの心に火を点けた。それまで小さなアトリエの縫い子で終わりたくないと思いながら一歩を踏み出せずにいたガブリエッラは、ドルチェ＆ガッバーナの社員募集に応募し、縫製室の就職に成功した。最初もっともヒエラルキーの低い位置にいた彼女は、不断の努力が実り、やがて第一室に上がっていく。

ガブリエッラの成功が純粋に嬉しかった。ナンニとの間にどのような会話があったのか訊いても、ガブリエッラは笑みを浮かべるだけで何も言わない。私たちは、私たちに彼女を紹介してくれた若い友人に混じって祝会に招かれ、食事と会話とワインの楽しい夜を過ごした。

そんなある日、ガブリエッラはジャンニ・ベルサーチェ（ベルサーチ）に移籍した。素人の私たちにも分かる、ベルサーチェは世界で最も著名なデザイナーの一人である。しかも今回はヘッドハンティングであり、最初から第一アトリエのクチュリエールとしての立場での就職だった。

彼女の自宅のアトリエで見せてもらうその卓越した技術に圧倒されながら、一歩一歩階段を昇っていくガブリエッラに敬意を感じるようになったある年の春、彼女は突然ベルサーチェを辞めると言い出した。以前から、アトリエのカポ（ボス）のしつこいいじめの話を聞いていた私は、妻と二人で我慢するように説得したが、結局彼女は辞めてしまった。

「ジョルジョ・アルマーニに就職したの」

そんな報告を聞いたのは、ガブリエッラがベルサーチェを辞めた年の秋だった。その時は彼女が報告の言葉を誇らしげに語る意味がよく分からなかった。私にとってアルマーニは高級スーツのブランドに過ぎない。店に入ったことはなく、購入することはないし、また興味もない。しかし彼女の話を聞くうちに、ファッション界のヒエラルキーを次第に理解するようになった。アルマーニは実は世界最高のオートクチュールであり、各国の王室とハリウッド女優と富豪たちのデザイナーだったのだ。

ガブリエッラはアルマーニの第一縫製室で欧州王室と映画女優の担当者となり、今日も世界を飛び回っている。

ナンニ・ストラーダの言葉がガブリエッラに人生のきっかけを与えた。私の瞼にはまだあの時の記憶が鮮やかに蘇る。陽が落ちて照明が灯り始めたガレリアのボッカ書店。ショーウィンドーの光が、話し込む二人の影をくっきりと浮かび上がらせていた。


「生ハムを買っていたら携帯に連絡が入ったの。だけど充電が切れかけていて、すみませんすみませんて謝りながら家に飛んで帰って、充電しながら連絡したわ」

「それで、間に合ったの？」

「ええ、大丈夫。だって彼は十年も私を見ていてくれたから」

パンテアはその契約の顛末を、まるで携帯にとつぜん電話がかかってきた日のように息急き切って話してくれた。

パンテア・タッシはジュエリーデザイナーである。彼女と初めて会ったのは、建築家フランチェスコ・ジュリーニの事務所だった。当時ミラノ工科大学デザイン学科の学生だったパンテアは、フランチェスコのアシスタントとして働いていたが、やがて大学を卒業し、ロンバルディア州（州都ミラノ）の名前を冠した金細工工房に就職した。ここは世界最高の純金打ち抜きの技術を持っている会社だが、パンテアの立場は所詮アシスタントに過ぎず、彼女は鬱々と日々の生活を送っていた。

そんなある日、スフォルツェスコ城美術館での若い世代のためのジュエリー・コンクールに出品したパンテアはグランプリを受賞してしまった。新聞、テレビのインタビューが殺到し、日本やアメリカの複数の雑誌に掲載された。私はパンテアに頼まれて日本の雑誌ふたつを手に入れて渡した。

これでパンテアの才能と仕事は一気に花開くと思ったが実際はそうではなかった。純金細工の工房を辞職し、自分の出身校であるミラノ工科大学のデザイン学科でいくつかの講義を持ち、両親と住むミラノの実家にスタジオを構えたが、特別なことは何も起きず、彼女の言う「無為の十年」が過ぎていった。

「それで、何の電話だったの？」

「パリのルイ・ヴィトンのディレクターなんだけど、コージはスフォルツェスコ城美術館の展覧会を覚えているかしら」

「もちろん。君に頼まれて、受賞インタビューの載っている日本の雑誌を買ってきたよ」

「あのあと彼に、ヴィトンのディレクターだけど、会う機会があったので個人の名刺を渡しておいたの。そのことをすっかり忘れていたら突然電話がかかってきて、生ハムを買っている途中で、おまけに充電が切れかけていて、謝りながら走って帰ったの」

「それで？」

「それでね、十年間私の仕事を見ていて決めたって。コージ、私、ヴィトンとデザイナー契約するの！」


十年見続ける。その言葉が胸に響いた。自分の仕事を世界の深部に届かせたければ、少なくとも十年の時が必要だ。少しぐらいの歩みでは誰も評価してくれない。十年間続けることのできる中身を持っていなければ、その作品は表面的な思いつきに過ぎないと言われてしまう。継続し深く掘り下げる力、それはデザインでも美術でも、表現のすべてにおいて同じことなのだ。

パリのルイ・ヴィトン本社の宝飾デザイン室で働き始めたパンテアは、やがて自分のラインを持つようになり、その作品はヴィトンの名前で次々に発表された。

生き馬の目を抜くイタリアのデザイン界。ファッション、プロダクト、ジュエリー、建築とインテリア……その中で生きる若い友人の一人目がガブリエッラ、二人目がこのパンテアである。彼女はその後グッチにヘッドハンティングされ、今はフィレンツェに住んでセリーヌのディレクターとして働いている。


「ふふふ、おかしい。ミーナはまるで太陽のような子ね」

遠くから両手を大きく振り回して駆けてくるミーナに気づいてパンテアが言った。何にでも一直線に飛び込んでいくミーナの姿は若いパンテアの目にも眩しく映るのかと、私は意外に感じて彼女の横顔を見たが、パンテアは仲のいい妹を見るように嬉しそうに手を振っている。

ミーナは、最初ロンドンのアートカレッジに留学したがイギリスの空気が肌に合わず、ミラノに移りアカデミア・ナバの大学院に転入した。理論と技術演習の二年間の最後に、修士論文を書く日がやって来た。それまでの授業とは違い、修士論文では独自の着想が求められる。ミーナはゼミの教授ロメオ・ジッリに理論面で厳しく鍛えられ、学科長のニコレッタ・モロッツィの仕事に感覚的な影響を受けていた。

　ミーナは考えていた。どうすれば自分の感覚をそのまま形にできるのか。デザインを工業と芸術の間で考えるとミーナは芸術に近いところに立っている。教授のロメオ・ジッリもそのことを口にしているが、幼い頃に私に美術を教わった彼女は、その感覚を身につけたまま成長した。良くも悪くもそれは彼女の体質となり、そのため、のちにデザインを工業生産化する際の困難につながるが、彼女はそのことに気づいていない。

　苦しみながらミーナは修士論文を書き終え、一冊の厚い本に仕立てて提出した。私は視覚表現を言語化することの意味について教えながら、彼女の修士論文作成の二ヶ月に付きあった。

　舗道に落ちる木漏れ日と影を自らの色彩感覚に落とし込んだこの美しい本は、彼女の大学院卒業と同時に最優秀修士論文を授与された。


　バッグ・ブランド「ガブス」のミラノ旗艦店のオープニングの日がやってきた。ミラノファッションの中心であるコルソ・コモ、四月二十五日広場（ガリバルディ門）の角というすごい立地だ。

この年の秋のファッションシーズンに先駆けて開くために、夏の間急ピッチで進められていた準備は何とか間に合い、郵送の招待状と共に、ある日ミーナのはち切れそうな声の電話がかかってきた。

彼女は大学院卒業後、研修生《インターン》としてガブスに在籍した後、イタリア全土からのわずかな数の公募で開講されたバッグ製作のアカデミアに難関を突破して合格し、しばらくの間フィレンツェに住んでいた。それ以前にも、南米出身の靴のデザイナーが素晴らしいと思えば訪ねていって話をし、スペインのヴァレンシア州アリカンテで研修生《インターン》として暮らした経験もある。考え込む前にまずは一歩進む。その太陽のような明るい性格はいつも多くの人を巻き込んでいく。

フィレンツェのアカデミアを受講した後、CEOであるフランコからの誘いで、ミーナはガブスとデザイナー契約を結んだ。そしてフランコの信頼を得て、ガブスのミラノ旗艦店に彼女のカスタマイズ・コーナーが開かれ、オープニングの日がやって来た。

私と妻は友人の何人かに声をかけ、グローバル・ブルーのオフィスで働くイリーナ、ミラノ工科大学で教えている原子炉工学研究者のニノカタ教授夫妻を誘って、五人で出かけていった。ニューオリンズ風のジャズバンドが練り歩き、地上階の二ヶ所のショップと地階の展示室に人があふれ、ケータリングのスタッフが料理とワインを次々に用意する。

クチュリエールのガブリエッラ、ジュエリーデザイナーのパンテア、国連の外郭団体で働くアニェーゼ、アカデミア・ナバの同級生、それら私の知っている人たちのほかに、ものすごい数の友人と知人がミーナを囲んでいた。

夏の名残りを感じる濃い群青色の日没。東の空には月が出ている。四月二十五日広場のガブスには遅くまで来客が絶えることがなく、建物の壁には鮮やかな黄色のロゴマークが、照明に照らされて輝いていた。

厳しい競争のイタリアのデザイン界に生きている三人目の若い友人、ミーナ。彼女はその後、不景気の波に襲われリストラされてガブスを去ったが、めげることもなく靴のアカデミアで技術とデザイン力を磨き、エミリア・ロマーニャのちいさな町で人々に愛されながら暮らしている。

ミーナのデザイナー人生はまだ始まったばかりである。

「ナンニ、こんにちは」

「あら、コージ、来ていたの」

「彼女はミーナです。バッグのデザインをしている」

「はい、ちゃんと覚えているわよ。そう、頑張っているの？」

イタリア・デザイン史の展覧会が開催されているトリエンナーレ美術館でのことだ。レセプションの後、ミーナと展覧会場を見ていた。「展示が完全じゃないのに展覧会が始まってしまって、どうなっているのかしら」と言いながら、ナンニは私たちに会釈をして行ってしまった。一九七三年に始まるナンニの一連の作品は、数多くこの美術館のパーマネント・コレクションに収蔵されている。


ナンニは長年にわたる業績が評価されて、再びコンパッソ・ドーロ（「黄金のコンパス」イタリアデザイン界の最高賞）を受賞した。ナンニの事務所からの知らせでそのことを知った妻と私は、取材が一段落したころを見計らって連絡しようと話していたが、そんなある日、小さな用事で立ち寄ったグラッシ・カルロ額店でナンニのご主人、クリーノ・カステッリ氏とばったり出会った。

「マエストロ、私です。ナンニの夫のクリーノです」

ガレリアの回廊から見えるミラノ大聖堂
Duomo di Milano

MARIAE
NASCENTI

AGRAM
T. Castelli

「クリーノさん、偶然ですね。丁度よかった。ナンニのコンパッソ・ドーロ受賞の連絡を事務所から頂いてお祝いに伺おうと話していたのですが、忙しいのではないかと思い連絡を控えていました」

「コンパッソ・ドーロは一段落したのでもう大丈夫です。いつでも来てやってください」

クリーノの言葉に従って早速アポイントを取った私たちは、翌日、サン・バビラ広場の花屋で芍薬の花束を作ってもらい、それを持ってガリバルディ通りにあるナンニの事務所に向かった。

「ナンニ、あなたが忙しいと思い、どうやって会おうかと考えていたところ、たまたまクリーノと行きあわせ、声をかけられました」

「あら。そうね、そういうことってあるものなのね。コージと私もTGVで偶然隣りに座ったのだったでしょう」

そう言ってナンニは少し首を傾げ微笑んだ。

「あれはいつのことだったのかしら」

ナンニが最近観たという、ベルリンが舞台の、外国人労働者と国籍とアイデンティティについて描いた映画の話をひとしきり聞き、私は、先日夫妻で見に来てくれた個展とその後の仕事について話をした。

ゆったり過ごす午後のひととき。やがて日が翳り始めた夕方のカフェのテラスの二台の四角いテーブルの、ひとつには大輪の芍薬の花束を置き、もうひとつのテーブルに運ばれたカフェはとっくに冷めてしまって、ナンニと私たちの間にはそこだけが世界から忘れ去られたような時間が流れていた。

パリからミラノに戻る列車でのナンニとの偶然の出会いから、すでに二十年の時が経っていた。

あとがき

　ミラノで暮らしている内に、イタリアを知るのと同じ深さで、東洋のことを知らなければいけないと考えるようになりました。この随筆がミラノの街の風景に始まりながら、時に地中海／オリエントから東洋の東の端にまで話が及んでいるのは、私が日本に生まれ育ったからでもありますが、また同時にイタリアと日本の距離の遠さが、歴史的にも物理的にもひとりの人間によってしか感じ取ることができないという側面を持っているからです。それは個人の小さな窓から得られる情報や肉体の体験に過ぎませんが、しかしその窓に切り取られて見える風景は現在のミラノの紛れもないひとつの姿であり、そこに生きた人たちの過ぎ去った日々の記憶なのです。

　西洋の歴史に大きな位置を占めるイタリア。その中で、ミラノという街が担ってきた役割、二千年の歴史の過去と現在を風景に重ねて書きたいと思いました。

　世界とつながることの意味を、そして芸術の真実を教えてくれた、ブルーノ・ダネーゼ氏とジャクリーヌ・ヴォドツ夫人、マエストロ・ブルーノ・ムナーリ、レナート・カルダッツォ氏、友フランチェスコと父、マエストロ・カルロ・マリア・ジュリーニ、ジャンガレアッツォ・ヴィスコンティ氏とルキーノ・ヴィスコンティ氏、ガブリエーレ、ジョルジョと父、ジャコモ・ロデッティ氏、スカルトリーニ医師、ジェラルド・マストゥルッロ氏、マエストラ・ナンニ・ストラーダ、マエストロ・アヅマ・ケンジロウ、土田衛先生、他、文中に登場するすべての皆さんに感謝を捧げます。とりわけ、展覧会を企画し、いつも私の芸術を本道に導いてくれるギャラリスト・マッテオ・ロレンツェッリ氏に、そして多くの歴史的な作家を発掘してきた父、ブルーノ・ロレンツェッリ氏に感謝を捧げます。

本書の出版にあたっては、羽鳥書店の編集・矢吹有鼓氏と、ブックデザインの白井敬尚氏に大変お世話になりました。

また、羽鳥書店社主の羽鳥和芳氏には画集（山本浩二画集『もうひとつの自然×生きている老松』）の出版に続いて本書の出版を引き受けていただき、深く感謝致します。羽鳥さんとは、親友・磯江毅の画集『深い眠り』のテキストを依頼されたことをきっかけにお会いしました。二〇一四年秋のあの日のことは、今でも鮮明に記憶しています。

この本を、我が妻・森永一衣に捧げます。ミラノでの生活のすべては、君の留学から始まりました。そして君の人間としての力と魅力が多くの出会いを引き寄せ、何物にも代えられない大切な経験を私に与えてくれました。

最後に、ミラノをはじめとするすべての地の友人に心からの感謝を捧げます。あなた方ひとりひとりの人生の光と影が、私にこの本を書かせてくれました。

二〇二二年一月十一日

山本浩二

山本浩二（やまもとこうじ）

画家。一九五一年、大阪生まれ

一九七三―七六年　スペイン留学、シルクロ美術研究所とプラド美術館に学ぶ

一九八七年　ポーランド国際シンポジウムに招待され、ワルシャワで制作、個展

一九九五年　個展、ライカOXYギャラリー、ドイツ文化庁推薦、大阪

一九九八年―　早稲田大学創造理工学部建築学科講義（隔年）、東京

二〇〇四年　詩画集『HAIKU』出版記念展、ボッカ書店、ガレリア、ミラノ

二〇〇五年　個展「Kobe Art Work 2005」、SYSMEX中央研究所、神戸（WAM）

二〇〇九年　個展「Another Nature」、ロレンツェッリ・アルテ、ミラノ

二〇一一年　鏡板「老松」、常設、凱風館／能舞台（内田樹邸・合気道場）、神戸

二〇一三年　個展「Another Nature」、東京アートフェア、東京（COHJU）

個展「老松」、永井画廊、東京

二〇一四年　個展「山本浩二展／生きている老松」、金沢能楽美術館、金沢

画集『もうひとつの自然×生きている老松』1、羽鳥書店、東京

二〇一五年　画集『Un'Altra Natura（随筆）』2、テンポ・リブロ編、ボッカ出版、ミラノ

個展「Another Natureと老松」、ASHIYAシューレ、芦屋

1

2

個展「Another Natureと老松」、de sign de › museum、中之島、大阪

個展「Another Natureと老松」、永井画廊、東京

二〇一六年

個展「Un'Altra Natura e Vecchio Pino Vivente」3、

ロレンツェッリ・アルテ、ミラノ

二〇一七年

Mi-art（ミラノ国際アートフェア）、ミラノ

「Dinamica――戦後イタリアと日本の画家」、

アロン・ザカイム、ロンドン

「Stop and Go」、ロレンツェッリ・アルテ、ミラノ

個展「Another Natureと老松」、丼池会館、大阪（de sign de › museum）

二〇一八年

個展「Another Natureと老松」、永井画廊、東京

個展「Another Natureと老松」、ASHIYAシューレ、芦屋

二〇一九年

「雪舟と山本浩二」プレヴュー、ボッカ書店、ガレリア、ミラノ

「雪舟と山本浩二」、熊谷美術館、萩

コンテンポラリーダンス衣装ドローイング、

島﨑徹 振付「tear tears」、神戸

二〇二一年

「山本浩二×大月光勲――鬼の角を切る」、永井画廊、東京

個展「Another Natureと老松」、ASHIYAシューレ、芦屋

Koji Yamamoto

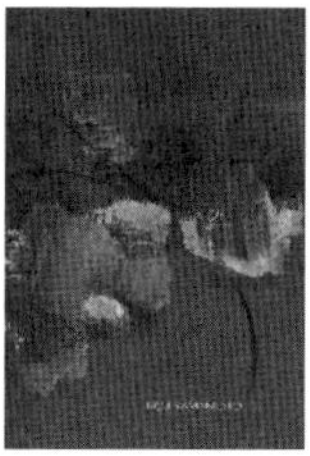

3

ミラノの森
2022年9月1日 初版

著者
山本浩二

発行者
羽鳥和芳

発行所
株式会社羽鳥書店
113-0022
東京都文京区千駄木1-22-30
ザ・ヒルハウス502
電話：03-3823-9319［編集］
03-3823-9320［営業］
ファックス：03-3823-9321
https://www.hatorishoten.co.jp/
ブックデザイン
白井敬尚形成事務所
（白井敬尚、三橋光太郎）

印刷所
株式会社精興社

製本所
牧製本印刷株式会社

ISBN 978-4-904702-88-8
Printed in Japan

写真
羽山康之 p.82、宮本敏明 p.197, 208
草彅るりこ ポートレイト
山本浩二 カバー・扉 p.19, 20, 45, 46, 63, 64, 81, 82, 107,
108, 125, 126, 135, 136, 153, 154, 163, 164, 198, 207, 233